Sushis et compagnie

maraboutchef

Les mots désignant des produits exotiques peu courants sont expliqués dans le glossaire.

Sommaire

Le goût du Japon

De San Francisco à Sydney ou Paris, on peut difficilement faire cent mètres dans le centre-ville sans passer devant un yakitori ou un restaurant japonais.

La cuisine japonaise est très intéressante à maints égards. Délicieuse, elle est peu calorique, étonnamment simple à préparer et saine, puisqu'on utilise les produits de saison les plus frais. C'est aussi un régal pour les yeux.

Les Japonais ont la réputation d'être minces et de vivre longtemps, ce que l'on attribue généralement à leur alimentation. Car les méthodes de cuisson des aliments – bouillis, grillés, cuits au four ou au barbecue, à la vapeur ou mijotés dans un bouillon – requièrent très peu de matières grasses et aucune sauce lourde. Des assaisonnements subtils rehaussent la saveur naturelle des ingrédients.

Au départ, certains plats japonais semblent peu goûteux. Il vous faudra peut-être un peu de temps et d'expérience pour vraiment les apprécier. Les Japonais attachent beaucoup d'importance à la fraîcheur et à la qualité des produits, à leur apprêt, de la préparation jusqu'à la garniture, et à la présentation. Ils estiment que la nourriture doit être aussi agréable à regarder qu'à déguster et éveiller tous les sens.

Les principaux ingrédients de la cuisine japonaise sont le riz, le poisson frais et une grande variété de légumes et de produits dérivés du soja (tofu, miso, sauce de soja), tous sont essentiels à une alimentation saine et équilibrée.

Le riz est une source de protéines et de glucides. Le poisson apporte des acides gras Oméga 3 et de la vitamine B12 ; les légumes frais, des vitamines, des sels minéraux, des fibres et des antioxydants, et le soja, quelle que soit sa forme, est riche en protéines, en fer et en sels minéraux. Le nori, ces feuilles d'algues qui enveloppent les sushi, renferme des vitamines et des sels minéraux, en particulier de l'iode, et le wasabi, sorte de raifort japonais, au goût très fort, est également riche en vitamine C.

Un repas japonais comporte presque toujours du riz. En règle générale, on sert tous les plats en même temps. Chacun prend une petite portion des différents mets au gré de sa fantaisie. Il est admis de laisser sur son assiette ce que l'on n'aime pas, à l'exception du riz, très estimé au Japon parce qu'il est à la base de l'alimentation depuis des siècles. Bien qu'un repas japonais se compose traditionnellement d'une variété de petits plats en quantités limitées, rien ne vous empêche d'augmenter les proportions pour en faire un plat de résistance plus occidental.

Prévoyez de servir de la viande, du poisson et des légumes en recourant pour chaque plat à une méthode de cuisson différente : grillade, friture ou cuisson à la vapeur. Choisissez des produits de saison, y compris pour le poisson, afin que votre repas reflète bien la période de l'année (mais aussi parce que cette solution est plus économique). Vous n'êtes pas obligé d'utiliser tous les ingrédients mentionnés dans une recette ; faites une sélection en fonction des denrées disponibles sur le marché, de vos goûts et de votre budget.

Tout repas japonais, y compris le petit déjeuner, inclut traditionnellement au moins une soupe et du riz. Le menu le plus simple se compose d'une soupe, de riz, de condiments et de thé vert. On sert généralement le thé au moment de passer à table et tout au long du repas.

L'étiquette japonaise

■ Lorsqu'on donne ou reçoit de la nourriture, il convient de tenir le bol à deux mains.

■ Si vous utilisez des baguettes en bois ou en bambou jetables, il faut les séparer et les frotter l'une contre l'autre pour éliminer tout éclat de bois éventuel.

■ Ne plantez jamais les baguettes dans la nourriture. Le bout des baguettes ne doit pas toucher la table. Utilisez des porte-baguettes ou, à défaut, une serviette pliée, voire l'emballage en papier des baguettes ou encore le bord de votre assiette.

■ Prenez vos baguettes pour vous servir dans un plat s'il n'y a pas de couverts, mais retournez-les de manière à utiliser les manches (partie que vous n'aurez pas portée à la bouche). Remettez-les dans l'autre sens pour manger.

■ Les plats de service japonais sont rarement assortis, comme c'est le cas en Occident. On les choisit pour leur couleur, leur forme et leur texture, en harmonie avec les mets servis. Il est considéré comme mal élevé de remplir à ras bord les plats, les bols, les coupelles, et même les tasses à saké.

■ Boire du thé chaud, manger des nouilles ou de la soupe en faisant du bruit est acceptable. Cela prouve que l'on apprécie tout en permettant au liquide de refroidir.

■ Comme tous les plats sont servis en même temps, on peut prendre des portions individuelles dans l'ordre que l'on préfère.

■ Commencez par ôter le couvercle de votre bol de riz en le posant à l'envers pour qu'il ne dégouline pas sur la table. Faites la même chose avec votre bol de soupe. Si le couvercle colle à cause du vide créé à l'intérieur, appuyez doucement sur les bords du bol pour le dégager.

■ On peut porter son bol de riz à sa bouche pour manger plus facilement avec les baguettes.

■ Manger les sushi avec les doigts est tout à fait admis. Au Japon, on les sert parfois sans baguettes car on estime qu'on ne peut pas faire autrement que de les saisir avec les doigts.

■ Si vous mangez des nigiri-zushi (du poisson cru sur un petit pain de riz) avec les doigts, tenez-les à l'envers pour que le poisson trempé dans la sauce entre d'abord en contact avec les papilles, avant le riz assaisonné. Si vous utilisez des baguettes, penchez les nigiri-zushi de côté pour tremper le poisson dans la sauce de soja. Si la boulette de riz plonge dans la sauce, elle se décomposera.

■ Quand on sert des sashimi accompagnés de sauce de soja et de wasabi, on présente traditionnellement ces deux ingrédients séparément, pour la bonne raison que le wasabi atténue l'arôme de la sauce. Mangez du gari (gingembre rose mariné) ou du daikon en lanières entre deux bouchées pour nettoyer le palais.

■ Le saké est au Japon l'équivalent du vin en France. Il en existe différentes variétés, sec ou doux et plus ou moins alcoolisés. On le boit chaud (40° à 50°) ou glacé.

■ La tasse à saké doit toujours être levée lorsqu'on la remplit.

■ Vous ne devez en aucun cas vous servir à boire. Proposez de servir les autres et attendez que quelqu'un offre de remplir votre tasse. Si quelqu'un vous sert, rendez-lui la pareille. Ne remplissez jamais une tasse ou un verre à ras bord. Un verre ou une tasse vide signifie que vous voudriez qu'on vous resserve. Si vous ne voulez plus boire, laissez votre tasse pleine.

■ Humidifiez des gants de toilette fins ou des petites serviettes, roulez-les bien serré, puis faites-les chauffer au micro-ondes. Vous les proposerez à vos convives au début et à la fin du repas pour qu'ils s'essuient les mains et se rafraîchissent.

Glossaire *ustensiles et ingrédients*

Algues

Ao-nori Algue séchée en forme de longs rubans, utilisée comme garniture comestible.

Konbu Base du dashi et de simples plats bouillis. Apporte une saveur légère. Le konbu doit être épais, noir brillant ou brun vert. Il est parfois un peu poudreux. Ne le rincez pas. Contentez-vous de l'essuyer avec un chiffon propre ou du papier absorbant avant usage afin de ne pas lui ôter son arôme en surface. Sortez-le toujours de l'eau juste avant l'ébullition pour ne pas qu'il acquière un goût amer. Coupez les lanières de konbu par intervalles le long des bordures pour libérer leur saveur pendant la cuisson.

Nori Algues séchées ou molles. On peut les faire griller rapidement d'un côté sur une grande flamme ou sur le gril pour qu'elles deviennent légèrement croustillantes.

Yaki-nori Ou algues grillées. On les trouve déjà croustillantes dans des sachets contenant dix feuilles. On les utilise pour les sushi roulés, ou émiettées sur du riz cuit à la vapeur avec de la sauce de soja. Peuvent être conservées au réfrigérateur, congelées ou placées dans un récipient hermétique, dans un endroit frais, sombre et sec.

Wakame Algues vert vif en forme de lobes, généralement vendues séchées, entrant dans la composition des soupes et des salades. Il ne faut pas les faire mijoter plus d'une minute de peur qu'elles se décolorent et perdent leurs qualités nutritives. On doit faire tremper les algues wakame séchées 10 minutes environ pour les ramollir. Jetez les tiges dures.

Baguettes, ou hashi

Les baguettes japonaises ont une extrémité plus pointue que les chinoises. Certains modèles sont laqués et décorés ; d'autres, en pin ou en bambou, sont jetables. Les plus longues employées pour cuisiner et pour servir sont généralement attachées ensemble avec de la ficelle de manière à pouvoir les accrocher.

Bambou

Makisu (natte de bambou) Sorte de set de table, petit ou grand, composé de tiges de bambou liées par une ficelle en coton. Indispensable pour préparer les sushi roulés (maki-zushi). Bien la nettoyer après usage à l'aide d'une brosse. Suspendez-la pour la faire sécher afin d'éviter toute moisissure.

Takenoko (pousses de bambou) Fibreuses. L'un des ingrédients les plus courants de la cuisine asiatique. On les trouve généralement en boîte, et parfois frais.

Bonite (copeaux de), ou katsuobushi

Séchés. On les trouve généralement en petits sachets. Les copeaux plus gros servent à la confection des dashi et les plus fins de garniture. À conserver dans un récipient hermétique une fois le sachet ouvert.

Chapelure japonaise, ou panko

Disponible fine ou plus épaisse. Elle a une texture plus légère que la chapelure occidentale.

Courge, ou kampyo

Copeaux de courge, vendus séchés, en sachets, ou cuits et assaisonnés, en boîte ou réfrigérés. On les fait ramollir ; ils servent de garniture dans les sushi ou de lien décoratif autour des aliments.

Couteaux

Les couteaux japonais sont le plus souvent en acier au carbone, ce qui les rend plus tranchants. Ils rouillent aussi plus facilement. Certains sont en acier inoxydable. Les couteaux à sashimi ont une longue lame flexible.

Crabe, ou kani

Parfois servi cru comme dans les sashimi.

Daikon

Radis blanc géant. On le trouve frais dans les magasins asiatiques. Peut être remplacé par du radis noir.

Daikon mariné Takuan ou oshinko. Daikon mis en saumure dans du son de riz et du sel. Jaune, craquant et fort en goût. Employé dans les sushi et comme condiment pour nettoyer le palais entre deux bouchées.

Dashi

Il en existe traditionnellement trois variétés dans la cuisine japonaise. Le katsuo-dashi, un bouillon à base de copeaux de bonite séchés, le konbu-dashi, à base d'algues séchées, servant à la préparation des shabu-shabu (fondues japonaises) et le niboshi-dashi, bouillon à base d'anchois ou de

petites sardines, séchés. On trouve du dashi instantané, en poudre, en granulés ou en concentré.

Écumoire à tempura, ou ami-shakushi

Écumoire en métal très fine servant à écumer l'huile chaude et le bouillon pendant la cuisson, de la tempura par exemple. Cet ustensile est également commode pour passer l'huile utilisée avant de la ranger.

Éventail à sushi, ou uchiwa

Éventail plat en soie ou en papier tendu sur des branches de bambou. Sert à refroidir le riz pour les sushi.

Farine blanche

De blé, sans levure incorporée.

Fruits de mer

Remarquez que dans le cas des sashimi et de certains sushi, les fruits de mer sont crus.

Gyoza

Fines galettes rondes à base de farine de blé, servant à enrober la garniture des raviolis. À défaut, utilisez des galettes de riz.

Gingembre, ou shoga

Utilisez du gingembre frais.

Râpe à gingembre Plus fine que notre râpe habituelle, destinée à produire une pulpe de gingembre dont on extrait du jus. Utilisez un pinceau à pâtisserie pour récupérer la pulpe.

Gingembre rose mariné, ou gari Doux. Conservé en saumure. Se consomme avec les sushi et les sashimi.

Gingembre rouge mariné, ou beni-shoga Assez salé, il s'emploie quelquefois comme garniture pour les sushi.

Gluten décoratif, ou fu
De petites formes décoratives à base de gluten de blé. Vendues séchées en sachets. On les ajoute directement aux soupes et aux fondues japonaises.

Handai ou hangiri
Moule en bois dans lequel on étale le riz des sushi pour le séparer, le tourner et le refroidir. Il faut bien le laver et le sécher après usage pour éviter qu'il moisisse et se décolore.

Lotus (racine de)
ou renkon
Comme le gingembre, il s'agit en fait d'un rhizome. Elle s'utilise dans les tempura et les salades par exemple. Raclez-la ou pelez-la avant utilisation. Vendue en boîte, fraîche ou congelée.

Maïzena
Employée pour épaissir et pour enrober les aliments.

Mandoline
Ustensile à lames ajustables pour trancher épais ou très fin, couper en lamelles ou en bâtonnets. Idéale pour les carottes et le daikon. On obtiendra le même résultat avec l'accessoire approprié d'un robot ménager ou un tranchoir en plastique en V. En dernier ressort, utilisez le côté le plus épais d'une râpe.

Menthe japonaise, ou shiso
De la même famille que la menthe classique. Le shiso rouge est moins aromatique et utilisé principalement pour colorer et épicer les condiments.

Miso
Pâte de soja fermenté. Il en existe différentes variétés, chacune dotée de son propre arôme, d'une saveur, d'une couleur et d'une texture particulières. On peut le conserver au réfrigérateur dans un récipient hermétique jusqu'à 1 an. En principe, plus il est foncé, plus il est dense et salé. Il est possible de trouver du miso à faible teneur en sodium.

Amakuchi, également connu sous le nom de chukara Miso brun clair, moyennement salé.

Grosse marmite, ou nabe

Grand moule destiné à refroidir le riz pour sushi

Éventail à riz

Râpe à gingembre (en bois)

planche à découper

Grand makisu (natte de bambou)

Poêle carrée

Petit makisu

7

Karakuchi, ou aka miso
La variété la plus salée, souvent plus amère. Texture très épaisse.

Shinshu Miso lisse, jaune foncé. Relativement salé, mais acidulé. Convient pour cuisiner.

Shiro, ou miso blanc Plus doux. Pour les vinaigrettes, les sauces et les soupes.

Soupe de miso À base d'un mélange de dashi et de pâte de miso auquel on ajoute deux ou trois ingrédients, tofu et champignons shiitake par exemple. On trouve de la soupe de miso instantanée dans les magasins japonais ; il suffit d'ajouter de l'eau bouillante. Il en existe quatre variétés : aka miso (marron), shiro miso (blanche), avec algues wakame ou avec tofu.

Moule pour sushi,
ou oshiwaku
Grand récipient en bois permettant de mouler les sushi pressés.

Moutarde japonaise,
ou karashi
Moutarde forte disponible en pâte prête à l'emploi, en tube ou en poudre dans les épiceries asiatiques.

Nabe
Marmite en terre ou en fonte que l'on peut placer directement sur la flamme. Pour la préparation du sukiyaki, du shabu-shabu et de la tempura. On peut le remplacer par un wok ou un poêlon à fondue.

Nouilles
Harusame Vermicelles de soja secs, que l'on trouve dans les magasins asiatiques. Fins et translucides, ils se composent de différents amidons, le plus souvent à base de haricots mung,

de pommes de terre ou de maïs. Les shirataki sont des substituts frais voisins.

Shirataki Longues nouilles translucides de konnyaku, une racine comestible comparable au yam, également connue sous le nom de « langue du diable ». Vendues en sachets réfrigérés. On peut les remplacer par des harusame ou des vermicelles de riz.

Soba Nouilles comportant de la farine de sarrasin dans des proportions diverses. On les trouve généralement séchées, et parfois fraîches chez certains fabricants de pâtes.

Somen Nouilles de blé blanches, sèches, très fines et délicates.

Udon Nouilles de blé blanches, épaisses et plates. On les trouve fraîches ou séchées dans les magasins asiatiques et la plupart des supermarchés.

Œufs
Certaines de nos recettes comportent des œufs crus, ou à peine cuits. Prenez garde s'il y a un problème de salmonelle dans votre pays.

Poêle carrée
Utilisée pour la cuisson des tamago-yaki, une omelette servant de garniture aux sushi ou de décoration comestible.

Poissons
Bâtonnets de surimi
Ingrédient populaire des sushi et principal composant du célèbre roulé californien. Achetez de préférence le produit japonais congelé, de meilleure qualité, qui s'émiette plus aisément que son équivalent occidental.

Copeaux de poissons séchés
Denbu ou oboro. Morue cuite, réduite en copeaux, sucrée et colorée en rose. On en trouve en sachets réfrigérés. Entre dans la composition des sushi. Conservez le sachet une fois ouvert au réfrigérateur dans un récipient hermétique.

Œufs de poisson volant, ou tobiuo ko. Laitance fine, de couleur orangée du poisson volant. Sert de garniture pour les sushi et les gunkan-maki (« vaisseaux de guerre »).

Œufs de saumon, ou ikura
Du mot russe ikra, caviar. C'est sans doute la raison pour laquelle on les substitue souvent par erreur au caviar rouge en cuisine. Employés le plus souvent pour garnir les gunkan-maki (sushi…).

Oursin, ou uni Un délice au riche goût de noisette. On enveloppe sa douce texture huileuse d'un peu de riz dans une feuille d'algue (yaki-nori) pour confectionner les gunkan-maki.

Saumon, ou sake Poisson prisé pour les sashimi et les sushi à cause de sa couleur vive, orange corail, de sa texture veloutée et de son goût à la fois riche et doux.

Thon, ou maguro Sans doute le poisson le plus utilisé pour les sushi en Occident parce qu'il est courant, à cause de son goût particulier, proche de celui de la viande blanche et de sa texture veloutée. Le thon rouge et le thon blanc sont les variétés les plus souvent employées dans la confection des sushi. La couleur de la chair varie de rose foncé à rouge selon la partie du poisson d'où elle provient.

Poivrons
Ôtez les graines et les membranes avant utilisation.

Poivre japonais, ou sansho
Épice moulue provenant de la gousse du xantoxylum.

Très voisin du poivre du Sichuan.

Riz
Kome À grains courts ou moyens. Le mieux adapté à la préparation de plats chinois.

Nishiki Convient tout aussi bien pour les sushi. Cultivé en Californie, on en trouve dans les magasins asiatiques.

Spatule à riz Sert à étaler, séparer et tourner le riz pour les sushi. Humectez-la d'abord pour éviter que le riz colle.

Riz (alcool de)
Mirin Vin de riz doux pour la cuisine. À base d'un mélange de riz à grains moyens, de riz gluant et d'esprit de riz distillé que l'on fait mûrir deux mois, d'où la douceur particulière de sa saveur.

Saké Alcool de riz sec. Ingrédient de base de nombreux plats japonais. On boit les bons crus. Le saké ryoriyo servant pour la cuisine est moins alcoolisé.

Vinaigre de riz Voir vinaigre.

Sauces
Sukiyaki Sauce de cuisine pour le sukiyaki. À base de sauce de soja, de sucre, de saké (vin de riz sec) et de mirin (vin de riz doux). On en trouve dans les magasins asiatiques.

Tempura, ou hon tsuyu
Sauce pour tremper en accompagnement de la tempura. Également utilisée comme bouillon pour faire

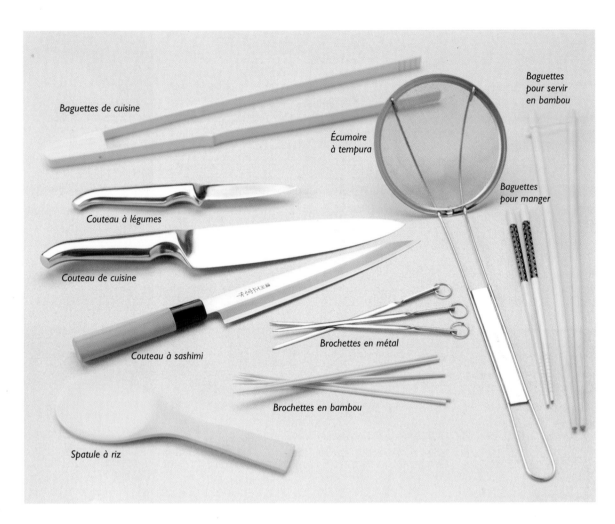

Baguettes de cuisine

Écumoire à tempura

Baguettes pour servir en bambou

Couteau à légumes

Baguettes pour manger

Couteau de cuisine

Couteau à sashimi

Brochettes en métal

Brochettes en bambou

Spatule à riz

cuire les nouilles. Elle est vendue concentrée. Diluez-la avec de l'eau avant utilisation. C'est un mélange de sauce de soja, de mirin et de dashi.

Teriyaki Mélange traditionnel de sauce de soja et de mirin destiné à badigeonner viandes, volailles et fruits de mer pendant qu'ils grillent, ou pour enduire le poisson.

On en trouve deux variétés, l'une épaisse, l'autre plus claire, dans les magasins asiatiques et certains supermarchés.

Tonkatsu Sauce épaisse, fruitée et épicée, servie avec du porc pané croustillant. Excellente avec les plats grillés ou cuits au barbecue. Assez comparable à la plupart des sauces barbecue vendues dans le commerce.

Wustaa, ou sauce Worcestershire japonaise Il en existe deux variétés, l'une similaire à la sauce Worcestershire que l'on connaît et l'autre légèrement moins forte en goût. Elles se composent toutes les deux de proportions variées de vinaigre, de tomates, d'oignons, de carottes, d'ail et d'épices.

Sept-épices (poudre), ou schichimi togarashi Mélange de piments, de poivre sansho, de zeste de mandarine, de graines de chanvre noires ou de graines de pavot blanches, d'algues séchées (nori) et de graines de sésame blanches. Sert à assaisonner les fondues japonaises, les soupes et les nouilles.

Sésame (graines de), ou goma Petites graines ovales provenant d'une plante tropicale appelée sesamum indicum, que l'on trouve partout en Inde et dans d'autres parties de l'Asie. Elles sont vendues crues (arai-goma), grillées (iri-goma), moulues (suri-goma) ou en pâte (neri-goma). Il est possible de lui substituer du tahini, un condiment

originaire du Moyen-Orient, aux graines moulues. On distingue également le sésame blanc (shiro goma) du sésame noir (kuro goma).

Shiitake
Champignons. On les trouve frais ou secs. Ils ont un riche arôme, plus marqué quand ils sont secs. Pour les reconstituer, faites-les tremper 15 à 20 minutes

dans de l'eau chaude. Jetez les tiges avant utilisation car elles ne ramolliront pas. On peut ajouter le liquide de trempage aux soupes et aux fondues.

Soja (sauce de), ou shoyu
Ingrédient de base de nombreux plats japonais. La marque Kikkoman, bien connue, est brassée naturellement alors que beaucoup d'autres variétés sont fabriquées chimiquement et comportent des additifs. Conservez le flacon ouvert au réfrigérateur. Les sauces de soja sont plus ou moins fortes et aromatisées. Les chinoises ont un goût plus marqué et plus salé. Utilisez toujours une sauce japonaise pour les plats japonais, les autres, trop fortes, risquant de masquer la saveur délicate des ingrédients.

Koikuchi shoyu Sauce de soja japonaise traditionnelle. Elle est plus légère, moins dense et moins salée que la sauce de soja chinoise. À base de

haricots de soja cuits, de blé (grillé et broyé) et de saumure. On la brasse, avant de la passer pour la mettre en bouteille. Pour être de bonne qualité, il faut que le brassage naturel se prolonge six mois et qu'il n'y ait aucune adjonction de colorants, de saveurs artificielles, de conservateurs ou de glutamate de sodium. Certaines variétés exemptes de gluten conviennent aux personnes souffrant de troubles cœliaques.

Ponzu shoyu Mélange de sauce de soja et de jus de citron, parfois additionné de mirin et de saké. On en trouve dans les épiceries asiatiques.

Usukuchi shoyu Sauce de soja légèrement colorée, mais un peu plus salée que la koikuchi shoyu. Utilisée dans les plats où la couleur naturelle des ingrédients doit être conservée. À ne pas confondre avec la sauce de soja à teneur réduite en sodium.

Tamari Prédécesseur de la shoyu (sauce de soja). Si la shoyu traditionnelle comporte des proportions presque équivalentes de haricots de soja et de blé, le tamari est normalement composé surtout de soja et d'une quantité de blé si faible qu'on peut la considérer comme exempte de gluten ; elle convient par conséquent aux personnes atteintes de troubles cœliaques. De couleur intense, elle a une saveur très particulière.

Tofu Pâte de haricots de soja, semblable à du lait caillé

blanc cassé, produit à partir du « lait » de haricots de soja broyés. On le trouve frais, mou ou ferme, mais aussi en feuilles frites, dans les magasins macrobiotiques. Frais, il faut le presser sous un poids, une brique par exemple, 25 minutes environ pour éliminer l'excédent de liquide.

Abura-age Mince poche de tofu frit que l'on peut garnir. On en trouve une variété assaisonnée en sachets ou en boîte. L'atsu-age est une version plus épaisse de l'abura-age.

Wasabi
Raifort japonais.
En poudre Se vend en boîte. Mélangez-le avec de l'eau pour obtenir une pâte. Une fois ouvert, conservez-le au sec dans un récipient hermétique.

Pâte Vendue en tube prête à l'emploi. Conservez-la au réfrigérateur une fois ouverte.

Vinaigre
Vinaigre de riz, ou komezu
À base de riz, il a un goût moins prononcé que la plupart des vinaigres occidentaux. Très léger et légèrement sucré. À employer pour les sushi et les sauces de salade. On peut le remplacer par du vinaigre de cidre dilué avec un peu d'eau.

Vinaigre à sushi, ou su
Mélange de vinaigre de riz, d'eau et de sucre à incorporer au riz des sushi. On en trouve tout prêt sous forme de poudre ou de liquide.

Accompagnements décoratifs pour sashimi et sushi

La plupart des plats japonais sont décorés pour offrir un contraste de couleur et de saveur. Ces jolies garnitures confèrent aussi aux mets une note saisonnière.

1. Radis en feuille d'érable

Pour confectionner un radis en feuille d'érable, ou momiji oroshi, on râpe des piments séchés avec du daikon afin d'ajouter saveur et couleur à un plat. On dit que le résultat ressemble à une feuille d'érable en automne.

À l'aide d'une baguette, faites quatre trous à l'extrémité d'un radis blanc. Ôtez les graines des piments, puis insérez-les dans ces cavités avec la baguette. Râpez le radis et les piments ensemble en un geste circulaire avec une râpe japonaise. Pressez pour éliminer l'excédent de liquide.

Formez des petites mottes que vous disposez au bord des assiettes de service ou au centre d'une sauce d'accompagnement.

2. Feuilles de wasabi

Mélangez de la poudre de wasabi avec un peu d'eau pour obtenir une pâte molle, facile à étaler. Roulez l'équivalent d'une cuillère à café de cette mixture en une petite boule que vous aplatissez avant de la modeler en forme de feuille.

Tracez légèrement une nervure au centre de la feuille à l'aide d'un couteau ou d'un cure-dents, puis des nervures latérales à un angle de 45°. Disposez ces feuilles près d'une rose en gingembre sur les plats de sashimi et de sushi.

3. Rose en gingembre rose

Disposez des morceaux de gari (tranches de gingembre rose mariné) sur une planche à découper de manière à ce qu'ils se chevauchent légèrement. Saisissez le bord le plus proche de vous et roulez l'autre extrémité. Redressez le petit rouleau ainsi obtenu et écartez légèrement les pétales pour qu'il ressemble à une rose. Servez avec une feuille de wasabi en garniture.

Riz pour sushi

Sumeshi

Pour réussir des sushi, il est important que le riz vinaigré, ou sumeshi, soit préparé à la perfection. Utilisez du riz japonais à grains courts ou, à défaut, du riz rond italien. Ils ont une texture et une consistance idéales qui permettent aux grains de coller sans devenir pâteux. Si vous employez du riz à grains moyens, vous serez peut-être obligé d'ajouter un peu d'eau.

Pour 1,3 kg de riz.

PRÉPARATION 10 MINUTES • CUISSON 12 MINUTES

600 g de riz blanc à grains ronds
750 ml d'eau

Assaisonnement
125 ml de vinaigre de riz
55 g de sucre
1/2 c. c. de sel

1 Mettez le riz dans un saladier que vous remplissez d'eau ; remuez-le à la main. Passez-le. Répétez l'opération deux ou trois fois jusqu'à ce que l'eau soit presque claire. Laissez le riz s'égoutter au moins 30 minutes dans une passoire.

2 En attendant, préparez l'assaisonnement vinaigré.

3 Si vous faites cuire le riz dans un autocuiseur, mettez-y le riz égoutté et l'eau. Couvrez et faites cuire. Quand l'autocuiseur se met automatiquement sur la position « maintien au chaud », laissez le riz reposer à couvert, 10 minutes. Si vous utilisez une casserole, mettez le riz égoutté et l'eau dans une casserole moyenne et couvrez hermétiquement. Portez à ébullition. Baissez et laissez mijoter bien couvert, à feu doux 12 minutes environ, jusqu'à ce que toute l'eau soit absorbée. Ôtez la casserole du feu. Laissez le riz reposer 10 minutes à couvert.

4 Étalez le riz dans un grand moule ou un récipient à fond plat non métallique (de préférence en bois). À l'aide d'une spatule à riz, d'une grande cuillère en bois plate ou d'une spatule en plastique, tranchez régulièrement le riz à angles droits pour séparer les grains et l'empêcher de s'agglutiner tout en l'arrosant peu à peu de l'assaisonnement vinaigré. Vous n'aurez peut-être pas besoin de toute la préparation. Il ne faut pas que le riz soit trop humide ou réduit en bouillie.

5 Continuez à trancher le riz d'une main (sans remuer de peur d'écraser les grains de riz) tout en le soulevant et en le tournant depuis l'extérieur du récipient vers l'intérieur (comme lorsque vous incorporez des blancs d'œufs battus à un mélange).

6 Pendant ce temps, de l'autre main, éventez le riz jusqu'à ce qu'il soit tiède. Cela devrait vous prendre environ 5 minutes (il est possible d'utiliser

Séparez les grains avec une spatule en bois.

2 Versez progressivement l'assaisonnement sans cesser de remuer.

un éventail électrique sur faible puissance plutôt qu'un éventail manuel). Ne refroidissez pas trop le riz pour qu'il ne durcisse pas. En effectuant simultanément ces deux opérations, vous obtiendrez un riz brillant, légèrement gluant, sans que les grains s'agglutinent. Conservez-le sous un torchon humidifié pour l'empêcher de sécher pendant que vous confectionnez les sushi.

Assaisonnement vinaigré Mélangez le vinaigre, le sucre et le sel dans un petit bol jusqu'à ce que le sucre soit dissous. Pour rendre cette mixture un peu moins forte, faites-la chauffer quelques instants avant utilisation.

L'ASTUCE DU CHEF
Vous pouvez ajouter un peu de mirin ou de saké à l'assaisonnement si vous le souhaitez, ou encore utiliser 125 ml de vinaigre pour sushi acheté tout prêt. On peut le préparer à l'avance en le conservant au réfrigérateur dans un récipient hermétique.

3 *Éventez le riz jusqu'à ce qu'il soit tiède.*

Les sushi

Si les sushi comportent souvent du poisson cru, de nombreux autres ingrédients peuvent être associés à du riz refroidi assaisonné : fruits de mer cuits, légumes de saison et/ou légumes marinés, omelette et tofu. Il existe toute une gamme de sushi que l'on mange soit avec des baguettes, soit avec les doigts.

Les formes les plus courantes sont :

1. Sushi en robe d'algue (maki-zushi).

Ces sushi incluent du riz, du poisson et/ou d'autres ingrédients enveloppés dans une feuille d'algue (nori) à l'aide d'une petite natte en bambou spéciale. On les sert avec de la sauce de soja, du gingembre rose mariné (gari) et du wasabi. Il existe différents types de maki-zushi :

Hoso-maki-zushi (petits sushi)
Ce sont de minces rouleaux ne comportant qu'un ou deux ingrédients, servis coupés en six petits morceaux. Les kappa-maki-zushi, très appréciés, contiennent uniquement du concombre, et les tekka-maki-zushi du thon.

Futo-maki-zushi (gros sushi)
Confectionnés avec une feuille d'algue grillée entière (yaki-nori), ces sushi épais renferment généralement plusieurs ingrédients. Il existe une variété dite rouleau « inversé », ou ura-maki-zushi, le riz étant à l'extérieur de la garniture.

Temaki-zushi (sushi en cônes)
Ces sushi garnis ressemblent à un cornet de glace. On les mange dès qu'ils sont prêts parce qu'ils ne se conservent pas bien.

2. Petits pains de sushi garnis (nigiri-zushi)

C'est sans doute le type de sushi que nous connaissons le mieux puisque c'est celui que l'on consomme généralement dans les bars à sushi du monde entier. Le riz relevé d'une goutte de wasabi est moulé en un tas ovale sur lequel on presse à la main une tranche de poisson, de fruits de mer, de légumes ou d'omelette. On a parfois recours à des œufs de poisson ou de l'oursin pour confectionner des nigiri-zushi appelés gunkan-maki-zushi, mot à mot « vaisseaux de guerre », à cause de leur forme imposante. Ce sont des boulettes rondes ou ovales de la taille d'une bouchée, enveloppées dans une bande d'algue grillée sous laquelle on a logé la garniture. Trempez-les dans de la sauce de soja avant de les déguster.

3. Chirashi-zushi (sushi à la mode d'Osaka)

C'est une variété de sushi qui convient aux débutants puisque le poisson et les légumes sont simplement éparpillés sur le riz pour sushi et non pas roulés ou moulés.

4. Oshi-zushi (sushi pressé)

Il s'agit d'une couche de riz pressée dans un grand moule en bois (oshiwaku), garnie de fruits de mer cuits, salés ou marinés, puis découpée en portions. On peut préparer ce plat à l'avance.

5. Inari-zushi (poches de tofu assaisonné)

Selon la légende, les inari tireraient leur nom du renard censé garder les récoltes. Très appréciés, ils conviennent aux débutants parce que le riz est fourré dans une poche de tofu (abura-age) assaisonné et frit qui se tient très bien. Ils comportent rarement du poisson cru. C'est donc un bon choix pour les palais peu aventureux. On trouve ces poches assaisonnées dans les magasins asiatiques, en boîte ou en sachets. L'équivalent non assaisonné est vendu congelé.

6. Rouleaux californiens

Récente invention venue de Californie. Leur nom fait référence à la garniture plutôt qu'à leur forme de sushi. Ils se composent généralement de bâtonnets de crabe, de crevettes ou de fruits de mer émiettés, d'avocat, de mayonnaise, de concombre et parfois d'œufs de poisson.

Premier rangée : petits pains de sushi garnis (nigiri-zushi) au thon et au saumon.
Deuxième rangée : gros sushi (futo-maki-zushi) et rouleaux « inversés » (yakiwa-maki-zushi), deux variétés de maki-zushi.
Troisième rangée : sushi dits « vaisseaux de guerre » et petits pains de sushi aux crevettes (nigiri-zushi).
Dernière rangée : sushi au thon (tekka-maki-zushi).

Le saviez-vous ?

La principale différence, pour les cuisiniers non japonais, entre les sushi et les sashimi tient au fait que, dans le cas des sashimi (qui se traduit tout simplement par « crus »), le poisson ne s'accompagne pas de riz, même s'il est trempé dans de la sauce de soja, comme pour les sushi, et mangé avec du wasabi et du gingembre. Dans les deux cas, le poisson est choisi, manipulé, conservé et préparé avec soin par des chefs spécialement formés afin de garantir que l'on serve exclusivement des produits très frais. Assurez-vous auprès de votre poissonnier que le poisson que vous achetez peut se consommer cru.

Astuces et traditions

■ On peut manger les sushi avec les doigts aussi bien qu'avec des baguettes.

■ En règle générale, on n'utilise qu'une ou deux garnitures dans les petits sushi et jusqu'à cinq ou six dans les gros. Si vous souhaitez en inclure davantage, détaillez les ingrédients plus finement.

■ Les sushi sont toujours servis avec des tranches de gari (gingembre rose mariné) et de la sauce de soja japonaise. Même s'ils contiennent déjà du wasabi, on peut en mettre à la disposition de ceux qui préfèrent un goût plus prononcé. Traditionnellement, on se passe de wasabi dans le cas des garnitures marinées ou assaisonnées.

■ Gardez les feuilles d'algue couvertes et au sec pendant que vous confectionnez vos sushi de peur qu'elles ne ramollissent et se flétrissent sous l'effet de l'humidité de l'air.

■ Pour que la garniture reste bien au centre du rouleau, faites un petit rebord avec le riz le long de la bande d'algue grillée non-recouverte.

Faire un petit rebord le long de la bande d'algue grillée non-recouverte.

■ Si vos rouleaux sont trop pleins, ils risquent de se fendre ou de s'ouvrir. Pour les sushi plus épais, tournez une feuille d'algue rectangulaire de façon à ce que le côté étroit soit parallèle au grain du makisu. On peut ainsi inclure davantage de garniture, mais le rouleau sera plus court.

■ Dans l'idéal, les sushi devraient être confectionnés pour ainsi dire au moment de servir. Sinon, les feuilles d'algue absorbant l'humidité du riz et de l'air

risquent de se fendre. On peut cependant les préparer jusqu'à 2 heures à l'avance si on les conserve dans du film étirable. Coupez les rouleaux juste avant de servir pour que le riz ne sèche pas.

■ Si les rouleaux trop pleins se fendent, déposez une autre demi-feuille d'algue (pour les sushi minces) ou une entière (pour les plus épais) sur le makisu, du côté brillant. Posez le rouleau entier sur la feuille d'algue, fente en bas. Humidifiez légèrement la feuille sur ses longs côtés, puis à l'aide de la natte, faites rouler le rouleau en l'écartant de vous, comme pour un sushi. Coupez-le en six ou huit morceaux en commençant par le milieu.

Raccommoder un rouleau trop plein qui s'est fendu.

■ Utilisez un rouleau fendu en guise de garniture pour un sushi plus épais en recourant à une feuille entière de nori.

■ Si l'on peut se servir de film étirable, de papier d'aluminium ou de cuisson pour confectionner des sushi, un makisu vous simplifiera considérablement la tâche.

■ Si vous faites des sushi pour une bande d'invités, y compris des enfants, nous vous conseillons d'en faire quelques-uns végétariens et d'autres sans wasabi. Servez le wasabi dans des coupelles avec les plats, en prévenant vos convives qu'il ne s'agit pas de guacamole !

■ Ne servez jamais de grands bols de sauce de soja pour tremper. C'est une impolitesse aux yeux des Japonais. De plus, les boulettes de riz se décomposent toujours dans ce cas, ce qui n'est guère appétissant.

■ Les sauces pour tremper doivent s'harmoniser avec le poisson qu'elles accompagnent. En règle générale, plus la chair est délicate, plus l'assaisonnement doit être léger. La sauce ponzu (à base de citron et de soja) convient à un poisson non gras, à la saveur subtile, coupé en tranches fines, tandis que les morceaux plus épais de poisson à chair blanche et ferme requièrent un goût de soja plus prononcé. La pâte de miso additionnée d'un peu de vinaigre contribue à masquer le goût de certains poissons. De plus, le vinaigre attendrit légèrement les chairs trop fermes.

■ Souvenez-vous qu'on ne peut jamais se tromper quand on fait des sushi. Toute invention est bonne à prendre ! Si la garniture s'écroule lorsque vous roulez le makisu et se retrouve ainsi au bord de la couche de riz, façonnez tout simplement chaque pièce doucement avec les doigts en forme de goutte, la garniture étant du côté étroit. Disposez les sushi ainsi formés en cercle, les garnitures vers le centre et ajoutez un élément décoratif au milieu. Vous obtiendrez une jolie fleur en sushi !

Façonnez les sushi en forme de goutte pour figurer les pétales d'une fleur.

■ Et si tout cela vous semble vraiment trop compliqué, organisez une fête-sushi ! Préparez le riz, les feuilles d'algue et tout un assortiment d'ingrédients et puis demandez à vos invités de faire leurs propres temaki, cônes roulés à la main. Cela ne demande ni recette ni aptitude particulière, et quelqu'un inventera peut-être un arrangement de garnitures inédites !

Sushi au thon
Tekka-maki-zushi

Pour 36 sushi (6 rouleaux).

PRÉPARATION 20 MINUTES

Tekka se traduit librement par tripots. C'est dans ces lieux que les sushi furent initialement confectionnés parce qu'en enveloppant le riz dans des feuilles de nori, les joueurs évitaient d'avoir les doigts qui collaient aux cartes. Les tekka-maki-zushi, l'une des variétés de sushi les plus connues, sont aussi parmi les plus faciles à préparer. C'est donc un exemple idéal pour apprendre à faire des sushi.

3 feuilles d'algues grillées (yaki-nori)

1 bol moyen rempli d'eau froide, additionnée de 1 c. s. de vinaigre de vin

450 g de riz pour sushi (voir p. 12)

1 c. s. de wasabi

200 g de thon très frais, coupé en lanières de 1 cm d'épaisseur

2 c. s. de gingembre rose mariné (gari)

60 ml de sauce de soja japonaise

1 Pliez une feuille d'algue en deux dans le sens de la longueur et en parallèle avec les lignes visibles sur le côté le moins lisse. Coupez le long du pli. Disposez une demi-feuille du côté brillant et dans le sens de la longueur sur un makisu, à 2 cm environ du bord le plus proche de vous.

2 Trempez vos doigts dans le bol d'eau vinaigrée et secouez-les pour éliminer l'excédent. Prenez approximativement 75 g de riz et déposez-les en travers au centre de la feuille d'algue.

3 Mouillez-vous à nouveau les doigts, puis « ratissez » doucement le riz de la gauche vers la droite pour l'étaler de manière uniforme sur la feuille d'algue en laissant une bande de 2 cm d'algue non recouverte à l'autre bout. Faites un petit rebord de riz le long de cette bande pour maintenir la garniture en place (voir p. 15).

4 Avec un doigt, déposez une tracée de wasabi au centre du riz en l'étalant uniformément.

5 Alignez les lanières de thon, bout à bout, sur le wasabi, au centre de la couche de riz.

6 En commençant par le bord le plus proche de vous, saisissez le makisu entre vos pouces et vos index. À l'aide de vos autres doigts, maintenez la garniture en place pendant que vous roulez peu à peu la natte vers l'avant en pressant délicatement la feuille d'algue pour bien l'envelopper autour du riz et de la garniture.

7 Une fois le rouleau achevé, la bande d'algue non recouverte collera à sa base pour faire la « couture ». Exercez une légère pression pour donner au rouleau une forme carrée.

8 Déroulez le makisu. Réservez le rouleau. Renouvelez l'opération avec l'autre moitié de la feuille d'algues, le reste du riz et du thon en agrémentant chaque fois le riz d'un soupçon de wasabi. Servez les sushi au thon accompagnés du reste « couture » en bas, sur une planche. Essuyez un couteau bien aiguisé avec un torchon humidifié et coupez le rouleau en deux. Tournez une des moitiés à 180° de manière à ce que les extrémités tranchées de chaque partie soient côte à côte. Découpez chaque rouleau en trois tronçons afin d'obtenir un total de six bouchées, en veillant à bien essuyer le couteau entre chaque coupe.

9 Répétez l'opération. Présentez avec du wasabi, du gingembre rose mariné et de la sauce de soja, servis dans des coupelles séparées.

Suggestions de garniture Fines tranches d'avocat et de saumon ; concombres et condiment à la prune ; bâtonnets de crabe et avocat ; concombre (kappa-maki).

Coupez une feuille d'algue pliée en deux dans le sens de la longueur.

« Ratissez » le riz en douceur pour l'étaler uniformément sur la feuille d'algue.

Saisissez le makisu entre le pouce et l'index.

Coupez les moitiés de rouleaux côte à côte avec un couteau bien aiguisé.

Gros sushi
Futo-maki-zushi

Pour 32 sushi (4 rouleaux).

PRÉPARATION 20 MINUTES

Les futo-maki-zushi sont des sushi épais contenant généralement entre quatre et six ingrédients. Les garnitures sont choisies pour leur couleur, leur texture mais aussi pour leur saveur. C'est un régal pour les yeux autant que pour le palais. Les ingrédients que nous avons utilisés sont couramment employés dans la plupart des restaurants japonais, mais vous pouvez en sélectionner d'autres. Reportez-vous à nos suggestions ci-dessous.

4 feuilles d'algues grillées (yaki-nori)

1 bol moyen rempli d'eau froide, additionnée de 1 c. s. de vinaigre de riz

600 g de riz pour sushi (voir p. 12)

2 c. s. de wasabi

4 lamelles de daikon mariné (takuan) de 5 mm x 18 cm

200 g de thon très frais, en lanières de 1 cm d'épaisseur

1 petit concombre (130 g), coupé en deux, épépiné, en tranches fines

1/2 portion de feuilleté d'œufs (voir p. 70), détaillée en lanières de 1 cm de large

4 copeaux de courge séchée assaisonnée (kampyo)

20 g de morue séchée, en copeaux (denbu)

2 c. s. de gingembre rose mariné (gari)

60 ml de sauce de soja japonaise

1 Déposez une feuille d'algue du côté brillant sur le makisu dans le sens de la longueur, à 2 cm environ du bord le plus proche de vous.

2 Trempez les doigts d'une main dans le bol d'eau vinaigrée ; secouez-les pour éliminer l'excédent. Prenez environ un quart du riz et disposez-le en travers au centre de la feuille.

3 Humidifiez-vous à nouveau les doigts, puis « ratissez » délicatement le riz de la gauche vers la droite pour l'étaler d'une manière uniforme sur la feuille en laissant une bande de 2 cm à l'extrémité opposée. Faites un rebord avec le riz le long de cette bande pour maintenir la garniture en place.

4 Déposez un filet de wasabi au centre du riz en l'étalant uniformément. Mettez environ un quart du daikon, du thon, du concombre, du feuilleté d'œufs, de la courge et de la morue séchée en rang sur le wasabi, au milieu du riz. Assurez-vous que les garnitures aillent bien jusqu'au bord de la couche de riz.

5 En commençant par le bord le plus proche de vous, saisissez le makisu entre vos pouces et vos index. À l'aide de vos autres doigts, maintenez les ingrédients en place pendant que vous commencez à rouler la natte loin de vous. Roulez vers l'avant en pressant délicatement, mais avec fermeté la feuille d'algue pour bien l'envelopper autour du riz et de la garniture.

6 Une fois le rouleau achevé, la « couture » de la feuille d'algue devrait être en dessous ; exercez une légère pression pour donner une forme plus carrée au rouleau.

7 Déroulez le makisu ; posez le rouleau, « couture » en bas, sur une planche. Essuyez un couteau tranchant avec un tissu humide, puis coupez le rouleau en deux. Tournez une des moitiés de 180° afin que les deux extrémités coupées de chaque moitié soient côte à côte. Coupez chaque rouleau en deux, puis ces moitiés encore en deux pour obtenir un total de huit morceaux de la taille d'une bouchée en veillant à bien essuyer le couteau entre chaque coupe.

8 Sans perdre de temps, répétez l'opération avec les autres feuilles d'algues, le reste du riz et des ingrédients, en n'oubliant pas de mettre une touche de wasabi dans chaque rouleau. Servez ces sushi avec le reste de wasabi, du gari et de la sauce de soja dans des coupelles séparées.

Suggestions de garniture Germes de soja, surimi, gingembre rouge mariné, concombre, feuilleté d'œufs (voir p. 70) ; crabe cuit, mayonnaise, concombre, avocat, œufs de poisson, salade en fines lanières ; ciboule, carottes râpées, poivron, avocat, germes de soja ; crevettes, œufs de saumon, pousses de bambou, petits oignons, avocat.

Étalez le riz au centre de la feuille d'algue avec vos doigts trempés dans de l'eau vinaigrée.

Assurez-vous que les garnitures aillent bien jusqu'au bout de la feuille.

À l'aide du makisu, enveloppez délicatement la feuille d'algue autour du riz et de la garniture.

Déroulez la natte avant de poser le rouleau sur une planche, « couture » en bas.

Rouleaux inversés
Ura-maki-zushi

Pour 32 sushi inversés (4 rouleaux).

PRÉPARATION 20 MINUTES

Parsemez le riz de graines de sésame noires.

Soulevez et tournez le makisu afin que la feuille d'algue soit au-dessus.

Enroulez la natte et le film étirable autour du riz et de la garniture.

Déroulez le makisu en laissant le rouleau dans le film étirable.

2 feuilles d'algues grillées (yaki-nori), pliées parallèlement aux lignes visibles du côté le moins lisse et coupées en deux

1 bol moyen rempli d'eau froide, additionnée de 1 c. s. de vinaigre de riz

600 g de riz pour sushi (voir p. 12)

2 c. s. d'œufs de poisson

1 c. c. de graines de sésame noires, grillées

1 1/2 c. s. de wasabi

65 g de concombre, coupé en deux, épépiné, en tranches fines

4 grosses crevettes (200 g), décortiquées, la veine ôtée, coupées en deux dans le sens de la longueur

4 lanières de daikon mariné (takuan) de 5 mm x 18 cm

1 1/2 c. s. de gingembre rouge mariné (beni-shoga)

2 c. s. de gingembre rose mariné (gari)

60 ml de sauce de soja japonaise

1 Posez une demi-feuille d'algue sur le makisu dans le sens de la longueur, à 2 cm environ du bord le plus proche de vous. Trempez les doigts d'une main dans le bol d'eau vinaigrée ; secouez-les pour éliminer l'excédent. Prenez un quart du riz et pressez-le sur la feuille d'algue. « Ratissez » délicatement le riz de gauche à droite pour couvrir toute la feuille de manière uniforme (voir p. 16).

2 Parsemez un quart des œufs de poisson et des graines de sésame sur le riz. Recouvrez le riz de film étirable. Soulevez la natte et retournez-la délicatement de manière à ce que la feuille d'algue soit au-dessus. Reposez-la sur le makisu à 2 cm du bord environ. Avec un doigt, étalez un soupçon de wasabi au centre de la feuille, puis garnissez avec un quart du concombre, des crevettes, du daikon et du gingembre rouge en vous

assurant que la garniture s'étend bien jusqu'aux extrémités de la feuille.

3 Saisissez le bord du makisu et du film étirable avec les pouces et les index. Placez les autres doigts sur la garniture pour la maintenir en place tandis que vous roulez fermement la natte loin de vous de manière à envelopper le riz autour des ingrédients. Pressez doucement le rouleau et continuez à rouler vers l'avant jusqu'à ce qu'il soit fini. Déroulez le makisu et conservez le rouleau dans le film étirable.

4 Essuyez un couteau tranchant avec un chiffon humidifié ; coupez le rouleau dans le film étirable en deux, puis chaque moitié en quatre afin d'obtenir huit pièces, en veillant à bien essuyer le couteau entre chaque coupe. Ôtez le film étirable et servez les rouleaux accompagnés de wasabi, de gingembre rose mariné et de sauce de soja.

LES ASTUCES DU CHEF

Pratiquez deux petites entailles sous les crevettes pour qu'elles restent bien à plat.

Parsemez l'extérieur des rouleaux inversés de copeaux de morue séchée (denbu) ou d'herbes fraîches finement ciselées.

Conservez les rouleaux inversés dans du film étirable sans les couper pour qu'ils ne sèchent pas.

Suggestions de garniture Tranches de concombre, saumon cru, avocat et graines de sésame ; bâtonnets de crabe, gingembre rouge, germes de soja et concombre ; thon, avocat, concombre et ciboule (la partie verte seulement) ; crevettes, concombre, avocat, salade, œufs de poisson ; saumon frais, mayonnaise au wasabi, ciboule, asperges ; carottes en lanières, avocat, ciboule, germes de soja.

Sushi en cônes

Temaki-zushi

Pour 16 cônes.

PRÉPARATION 30 MINUTES

C'est une super idée pour une fête ! La participation de vos convives sera minime puisque vous aurez tout découpé et tranché avant leur arrivée. Chacun s'amusera à confectionner ses propres sushi en choisissant les ingrédients qu'il préfère pour la garniture. Les temaki-zushi ne se conservent pas très bien. Raison de plus pour les manger au fur et à mesure. Nous vous proposons ci-dessous les ingrédients nécessaires pour confectionner les rouleaux californiens classiques, mais il n'y a pour ainsi dire pas de limites quant aux garnitures (voir suggestions à la fin de la recette).

450 g de riz pour sushi (voir p. 12)

4 feuilles d'algues grillées (yaki-nori)

1 gros avocat (320 g)

1 c. s. de jus de citron

2 c. s. de mayonnaise

1 c. c. de wasabi

1 bol moyen rempli d'eau froide, additionnée de 1 c. s. de vinaigre de riz

4 bâtonnets de surimi, coupés en quatre dans le sens de la longueur

1 petit concombre (130 g), coupé en deux, épépiné, coupé en 16 lanières dans le sens de la longueur

1 c. c. de graines de sésame noires, grillées

125 ml de sauce de soja japonaise

2 c. s. de gingembre rose mariné (gari)

1 Mettez le riz pour sushi dans un bol de service (pas en métal) ; couvrez-le avec un torchon humidifié. Coupez les feuilles d'algues en quatre ; couvrez-les d'un film étirable jusqu'au moment de servir (il faut les conserver ainsi de peur qu'elles ramollissent et se flétrissent au contact de l'humidité de l'air). Coupez l'avocat en tranches fines ; badigeonnez-le de jus de citron pour l'empêcher de noircir. Mélangez la mayonnaise et le wasabi dans un petit bol ; couvrez.

2 Pour chaque cône, posez un quart de feuille d'algue du côté brillant en diagonale dans le creux de votre main gauche. Plongez les doigts de l'autre main dans le bol d'eau vinaigrée ; secouez-les pour éliminer l'excédent de liquide. Prenez l'équivalent de 2 cuillerées à soupe de riz et disposez-le au centre de la feuille. Avec les doigts de la main droite, « ratissez » délicatement le riz vers le coin supérieur de la feuille en creusant un léger sillon au milieu pour la garniture.

3 Avec un doigt de la main droite, étalez une touche de mayonnaise au wasabi dans le sillon, puis garnissez avec une tranche d'avocat, de bâtonnet de crabe et de concombre, avant de saupoudrer le tout d'une pincée de graines de sésame.

4 Repliez un côté de la feuille d'algue pour qu'elle colle au riz, puis l'autre côté sur la première face afin de former un cône. On peut replier la pointe du cône pour mieux lui conserver sa forme.

5 Trempez le cône dans la sauce de soja, garnissez avec une tranche de gari si vous le souhaitez et mangez immédiatement.

L'ASTUCE DU CHEF

On peut confectionner ces temaki-zushi avec des demi-feuilles d'algues si on préfère.

Suggestions de garniture Concombre, saumon fumé, avocat et aneth fraîche ; crevettes cuites décortiquées, daikon mariné (takuan), germes de soja et ciboule ; thon très frais, œufs de saumon, avocat, salade en lanières et concombre ; saumon très frais, mayonnaise au wasabi, ciboule et asperges cuites ; carottes en lanières, avocat, ciboule, germes de soja et feuilleté d'œufs (voir p. 70).

Autres ingrédients possibles pour la garniture Tranches d'aubergine grillées, lanières de tofu frit assaisonné, tomate, feuilles d'épinards, poivron en lanières, ciboulette, mange-tout en lanières, copeaux de courge assaisonnée (kampyo), copeaux de morue séchée (denbu), pousses de bambou, haricots verts, œufs de poisson.

Tenez le cornet d'une main en trempant les doigts de l'autre main dans l'eau vinaigrée.

Avec le doigt, étalez une touche de mayonnaise au wasabi le long d'un sillon creusé dans le riz.

Repliez les côtés de la feuille d'algue sur la garniture pour former un cône.

Petits pains de sushi garnis

Nigiri-zushi

Pour 30 petits pains de sushi garnis.

PRÉPARATION 20 MINUTES

Coupez le thon en tranches fines.

C'est sans doute le type de sushi le plus connu en Occident. Voici quelques consignes importantes avant de confectionner ces délicieuses bouchées :

■ *Ne les faites pas trop grosses. Vous devriez pouvoir les déguster en une seule bouchée !*

■ *La tranche de poisson doit coiffer le riz. Quelle que soit la taille de la boulette de riz, elle ne doit jamais dépasser de son « toit ».*

■ *Utilisez un peu plus de wasabi dans le cas des poissons gras, comme le thon et le saumon, et une moindre quantité pour les chairs plus délicates comme le poisson à chair blanche, les crevettes ou les encornets.*

■ *Le poisson doit être tranché juste avant de servir.*

■ *S'il a été convenablement façonné, le nigiri-zushi devrait pouvoir se manger à l'envers avec les doigts ou sur le côté avec des baguettes. C'est le poisson et non le riz qu'il faut tremper dans la sauce de soja.*

Pressez délicatement le riz pour former un rectangle arrondi.

Avec les doigts, faites adhérer le riz et le poisson.

Serrez doucement le riz pour redresser les côtés.

1 bol moyen rempli d'eau froide, additionnée de 1 c. s. de vinaigre de riz

450 g de riz pour sushi (voir p. 12)

350 g de thon très frais, en tranches fines

2 c. c. de wasabi

60 ml de sauce de soja japonaise

1 Trempez les doigts des deux mains dans un bol d'eau vinaigrée et secouez-les pour éliminer l'excédent de liquide. Prenez une cuillerée à soupe de riz dans la main droite en le pressant légèrement pour lui donner une forme de rectangle aux bords arrondis.

2 Prenez une tranche de poisson entre l'index et le pouce de la main gauche. Avec le bout de l'index de la main droite, étalez un soupçon de wasabi au milieu de la tranche de poisson.

3 Pliez les doigts de la main gauche pour former une coupe où vous déposez la tranche de poisson, que vous garnissez ensuite avec le riz.

4 Remontez le pouce de la main gauche vers le haut du rectangle de riz pour empêcher au riz de s'échapper. Avec l'index et le majeur de la main droite, pressez délicatement le riz et le poisson ensemble.

5 Retournez le sushi afin que le poisson soit au-dessus et pressez avec soin la tranche de poisson sur le riz avec l'index et le majeur

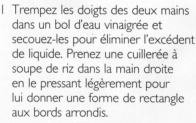

de la main droite. Le pouce gauche devrait rester en haut du petit tas de riz pour l'empêcher de tomber.

6 En maintenant le pouce à un bout du rectangle et l'index à l'autre, pressez délicatement le riz pour redresser les bordures.

7 Avec l'index et le pouce de la main droite, tournez le sushi de 180° et pressez de nouveau le poisson contre le riz en utilisant les mêmes doigts.

8 Servez ces nigiri-zushi accompagnés de sauce de soja dans une coupelle.

L'ASTUCE DU CHEF

Pour que le poisson tienne mieux sur le riz, placez une lanière de yaki-nori (feuille d'algue grillée) de 1 cm d'épaisseur au milieu du petit pain, en glissant les bords en dessous. L'humidité du riz la maintiendra en place.

Suggestions de garniture Poisson cru très frais, encornet, seiche, crevettes cuites, feuilleté d'œufs (voir p. 70), mange-tout blanchis, asperges cuites, avocat.

Poches de tofu assaisonné
Inari-zushi

Pour 8 poches de tofu.

PRÉPARATION 15 MINUTES • CUISSON 15 MINUTES

Insérez délicatement les doigts dans chaque coin de la poche pour bien l'ouvrir.

Fourrez la poche de riz sans trop la remplir.

Rabattez les côtés de la poche pour enfermer la garniture.

Vous trouverez des poches de tofu et des copeaux de courge (kampyo) assaisonnés dans les magasins asiatiques.

> **8 poches de tofu frit assaisonné (abura-age)**
>
> **1 c. c. de graines de sésame noires, grillées**
>
> **1 petit concombre (130 g), coupé en deux, épépiné, en tranches fines**
>
> **225 g de riz pour sushi (voir p. 12)**
>
> **1 bol moyen d'eau froide, additionnée de vinaigre de riz**
>
> **8 copeaux de courge séchée assaisonnée (kampyo)**
>
> **1 c. c. de gingembre rouge mariné (beni-shoga)**

1 Ouvrez les poches avec soin sur un côté en insérant délicatement les doigts à chaque coin.

2 Réservez quelques graines de sésame pour la garniture. Mélangez le reste et le concombre avec le riz.

3 Trempez les doigts de la main droite dans un bol d'eau vinaigrée, puis secouez-les pour éliminer l'excédent. Prenez environ un huitième du riz avec la main droite et fourrez-en la poche en veillant à ne pas trop la remplir, ni à la déchirer.

4 Repliez un côté de la poche sur le riz, puis rabattez l'autre côté sur le premier, avant de retourner la poche afin que la « couture » soit en dessous.

5 Attachez une lanière de courge séchée autour de la poche en faisant un nœud au-dessus sans serrer ; garnissez avec un peu de gingembre rouge et les graines de sésame réservées. Répétez l'opération avec les autres ingrédients.

Les sashimi

Les sashimi se mangent généralement au début du repas, avant que les papilles aient été assaillies par d'autres saveurs.

En dehors du Japon, le poisson utilisé pour les sashimi comme pour les sushi doit être de saison et qualifié de très frais, en conformité avec les normes sanitaires en vigueur. Il doit avoir une texture ferme, une agréable odeur de mer (et non de poisson) ; il faut que les branchies soient rouge vif et, dans l'idéal, les yeux devraient être clairs et brillants, bien que ceux d'un poisson parfaitement frais deviennent parfois opaques lorsqu'il est en contact avec de la glace.

Achetez un poisson entier et découpez-le en filets ou choisissez des filets ou des pavés (de thon, par exemple) que votre poissonnier vous débitera en tranches si vous le souhaitez. Les tranches de poisson se décolorent vite une fois coupées. Il est donc préférable de le couper juste avant de servir. Sachez que la chair d'un thon peut varier en couleur, du rouge au rose, selon la partie du poisson d'où elle provient.

Si vous décidez de couper vous-même votre poisson, veillez à utiliser un couteau bien aiguisé avec une longue lame fine et flexible. Ne « sciez » jamais le poisson. Coupez chaque morceau d'un seul mouvement en tirant le couteau vers le bas dans votre direction.

Les sauces d'accompagnement et les garnitures n'ont pas seulement une fonction décorative. Elles rehaussent la saveur du poisson. Le radis blanc géant connu sous le nom de daikon facilite la digestion et contrebalance la texture grasse d'un poisson comme le thon, tandis que le gingembre mariné nettoie le palais entre les bouchées de différents poissons. Il est préférable de déposer une minuscule quantité de wasabi directement sur chaque morceau de poisson avant de le tremper dans la sauce. En mélangeant le wasabi à la sauce pour tremper, on atténue l'un et l'autre des arômes.

Lorsque vous servez un mélange de sashimi, il est essentiel que les différents types de poisson n'entrent pas en contact les uns avec les autres. Séparez-les sur les plats de service ou disposez entre eux des feuilles fraîches de menthe japonaise (shiso), par exemple, de bambou, de camélia, de persil plat ou de citronnelle. De fines tranches de citron entortillées conviennent bien pour séparer les poissons gras.

Au Japon, on présente traditionnellement la plupart des choses (du service à thé aux sashimi) en nombre impair. Cependant, il n'y a aucune règle en matière de portions. Tout dépend du nombre et de l'abondance des autres plats qui composent le repas.

Sashimi au thon

Pour 4 personnes.

PRÉPARATION 10 MINUTES

Le plus important pour réussir vos sashimi, c'est d'être sûr au départ que vous disposez d'un poisson très frais. Ici, nous vous suggérons du thon en quantité suffisante pour composer une entrée pour quatre. Utilisez une mandoline (si vous en possédez une) pour découper le daikon en lanières. Pour cette recette, vous aurez besoin d'un radis blanc d'environ 7 cm de long et 5 cm de diamètre.

> **200 g de daikon, en fines lanières**
> **400 g de thon très frais (maguro)**
> **2 c. c. de wasabi**
> **2 c. s. de gingembre rose mariné (gari)**
> **80 ml de sauce de soja japonaise**

1 Faites tremper le daikon dans un bol d'eau glacée pendant 15 minutes ; égouttez-le bien.

2 Mettez le thon sur une planche à découper. À l'aide d'un couteau bien aiguisé, coupez des tranches de 6 mm à angles droits par rapport au grain de la chair, en tenant le morceau de poisson sans peau avec les doigts, et en tranchant avec le couteau presque à la verticale.

3 Répartissez les tranches de thon sur les assiettes de service ; déposez des petites mottes de daikon à côté du poisson.

4 Garnissez les assiettes avec des portions égales de wasabi et de gingembre mariné. Servez accompagné d'une coupelle de sauce de soja.

Découpez le daikon pelé en lanières aussi finement que possible.

Coupez des tranches de 6 mm à la verticale en tirant le couteau vers l'avant.

Sashimi

Pour 18 sashimi.

PRÉPARATION 20 MINUTES

Aiguisez votre couteau avec un fusil.

Coupez les légumes d'une longueur à peu près égale.

Roulez les tranches de poisson.

Pour cette recette, nous utilisons un mélange de poisson rouge (saumon), de poisson gras (thon) et de poisson blanc (chinchard), mais vous pouvez opter pour de la dorade, du bar ou du maquereau, dès lors que vous êtes sûr qu'ils sont extra-frais. Demandez à votre poissonnier de vous le découper en tranches fines si vous craignez de ne pas savoir le faire.

200 g de poisson très frais

1/2 petit concombre (65 g), coupé en deux dans le sens de la longueur

1/4 de poivron rouge moyen (50 g)

1 ciboule (la partie verte seulement)

60 ml de sauce de soja japonaise

1 Aiguisez votre couteau à l'aide d'un fusil et essuyez-le bien. Coupez le poisson en tranches ultra-fines.

2 Ôtez et jetez les graines du concombre ainsi que celles du poivron. Découpez le concombre, le poivron et la ciboule en longues lanières fines. Coupez ces lanières afin qu'elles soient à peu près de la même taille que la largeur des tranches de poisson.

3 Posez une tranche de poisson sur une planche ; mettez un ou deux morceaux de chaque légume à une extrémité. Roulez la tranche de poisson pour enfermer la garniture. Répétez l'opération avec le reste des ingrédients. Servez les sashimi accompagnés de sauce de soja dans une coupelle.

L'ASTUCE DU CHEF

On peut utiliser une feuille de yaki-nori (algue grillée), quelques tiges de ciboule ou encore des feuilles d'épinards blanchis en les coupant de la même taille que les portions de poisson. Vous pouvez aussi attacher les rouleaux avec de la ciboulette si vous le souhaitez.

Sashimi de saumon au citron

Pour 4 personnes.

PRÉPARATION 20 MINUTES • CUISSON 5 MINUTES

Le gari, gingembre rose pâle mariné en tranches fines, sert à la fois pour décorer et pour rafraîchir le palais, lorsqu'on mange des sushi ou des sashimi. Utilisez les jeunes feuilles d'un rosier en guise de garniture (non comestible), ou, si vous préférez, des feuilles de menthe japonaise (shiso) en les disposant en forme de fleurs. Pour cette recette, vous aurez besoin d'un morceau de daikon de 15 cm de long et de 5 cm de diamètre environ.

Coupez le saumon avec un couteau orienté à 45°.

360 g de daikon, en fines lanières

1 petite carotte (70 g), en fines lanières

400 g de saumon très frais

2 c. c. de wasabi

1 c. s. de gingembre rose mariné (gari)

Sauce au citron

125 ml de vinaigre de riz

55 g de sucre roux

1 c. c. de sauce de soja légère

1/4 c. c. de zeste de citron finement râpé

1 ciboule (la partie verte seulement), finement ciselée

1 Mettez le daikon et la carotte dans des bols d'eau glacée ; laissez reposer 15 minutes. Égouttez-les, mélangez-les et disposez-les en petites mottes sur les assiettes de service.

2 Placez le couteau à 45° au bord du filet de saumon ; coupez des tranches fines. Couvrez le poisson découpé de film étirable pour qu'il ne sèche pas. Roulez une tranche de saumon serré, puis enveloppez-la de 3 ou 4 autres tranches afin que le tout ressemble à une rose. Répétez l'opération avec le reste du saumon. Vous obtiendrez une douzaine de roses.

3 Répartissez les roses de saumon sur les assiettes de service en les disposant dressées à côté des petites mottes de daikon et de carotte.

4 Confectionnez des feuilles de wasabi (voir p. 11). Disposez-les sur les assiettes de service ; servez le gingembre mariné et la sauce au citron dans des bols à part.

Formez le cœur de la rose avec du saumon.

Entourez le cœur de la rose de pétales de saumon.

Sauce au citron Faites chauffer le vinaigre, le sucre et la sauce de soja dans une petite casserole en remuant bien jusqu'à ce que le sucre soit dissous. Ôtez du feu, ajoutez le zeste de citron. Laissez reposer 10 minutes. Égouttez la sauce au-dessus du bol de service. Jetez le zeste de citron. Saupoudrez la sauce de ciboule.

Salade de sashimi au thon et au wasabi

Pour 4 personnes.

PRÉPARATION 15 MINUTES

Le beni-shoga est du gingembre rouge foncé mariné d'abord dans du sel, puis dans du vinaigre. Faites griller les graines de sésame dans une petite poêle chauffée sans huile en remuant constamment. Lorsque les graines commencent à sauter, ôtez la poêle du feu.

Coupez le thon en petits dés.

400 g de thon très frais

1 avocat moyen (250 g)

300 g de mayonnaise

1 c. s. de wasabi

1 c. c. de jus de citron

6 ciboules (la partie verte seulement), finement ciselées

4 feuilles de laitue croquante

1 c. c. de graines de sésame noires, grillées

1 c. s. de gingembre rouge mariné (beni-shoga)

Ciselez les tiges de ciboule.

1 Coupez le thon et l'avocat pelé en dés de 1,5 cm ; mettez-les dans un grand bol et mélangez-les avec la mayonnaise, le wasabi et le jus de citron. Ajoutez la ciboule en en réservant 2 cuillerées à soupe ; mélangez délicatement le tout.

2 Répartissez ce mélange sur les feuilles de laitue dans des bols de service. Garnissez de graines de sésame et du reste de ciboule. Servez le beni-shoga dans une coupelle à part.

Sashimi de saumon mariné

Pour 4 personnes.

PRÉPARATION 20 MINUTES • RÉFRIGÉRATION 30 MINUTES

Faites griller à sec les graines de sésame dans une petite poêle préchauffée en remuant constamment. Dès que les graines dorent et commencent à sauter, ôtez la poêle du feu.

Coupez le saumon en bâtonnets.

500 g de saumon très frais

2 c. c. de gingembre frais, râpé

1 gousse d'ail, pilée

1 c. c. de sucre brun

2 c. s. de sauce de soja japonaise

125 ml de saké

4 ciboules (la partie verte seulement), finement ciselées

2 c. c. de graines de sésame blanches, grillées

1 Coupez le saumon en bâtonnets de 1 cm.

2 Mélangez le gingembre, l'ail, le sucre, la sauce, le saké et la moitié de la ciboule dans un bol moyen ; remuez bien jusqu'à ce que le sucre soit dissous. Ajoutez le saumon ; enrobez-le de marinade. Couvrez hermétiquement ; réfrigérez 30 minutes.

3 Empilez le saumon sans l'égoutter sur le plat de service ; garnissez-le de graines de sésame et du reste de ciboule.

Parsemez le saumon de graines de sésame et de ciboule.

L'astuce du chef

Au lieu de garnir votre salade de
graines de sésame et de ciboule,
essayez le yaki-nori (feuille
d'algue grillée) en fines lanières.

Salade de sashimi au thon, vinaigrette au miso

Pour 4 personnes.

PRÉPARATION 20 MINUTES • CUISSON 5 MINUTES

350 g de thon très frais
2 c. s. de vinaigre pour sushi (voir p. 12)
**4 ciboules (la partie verte seulement),
    finement ciselées**

Vinaigrette au miso
2 c. s. de miso blanc
1 c. s. de mirin
1 c. s. de saké
1 c. s. de sucre
2 c. s. de vinaigre de riz
1 c. c. de sauce de soja japonaise
1/4 c. c. de moutarde japonaise

1 Coupez le thon en dés de 2 cm ou en tranches fines.
   Mettez-le dans un bol moyen avec le vinaigre. Laissez
   reposer à couvert 15 minutes.

2 Égouttez le thon, jetez la marinade. Séchez le poisson
   avec du papier absorbant. Mettez-le dans un bol moyen
   avec la vinaigrette au miso glacée. Remuez délicatement
   pour bien mélanger le tout. Répartissez le thon entre
   les bols de service, parsemez de ciboule. Servez avec
   du wasabi ou de la moutarde japonaise si vous le désirez.

Coupez le thon en dés
ou en tranches fines.

Séchez bien le thon avant de
le mélanger avec la vinaigrette.

Vinaigrette au miso Faites mijoter le miso, le mirin, le saké et le sucre dans une petite casserole en remuant jusqu'à ce que le sucre soit dissous. Ôtez du feu ; laissez reposer 10 minutes, puis ajoutez le vinaigre, la sauce de soja et la moutarde. Réservez au frais à couvert, jusqu'au moment de servir.

Les soupes

Soupe de miso au porc et aux haricots verts

Pour 4 personnes.

PRÉPARATION 15 MINUTES • CUISSON 10 MINUTES

Extrayez le jus du gingembre frais râpé.

On obtient du jus de gingembre en pressant un morceau de jeune gingembre frais (vert) râpé sur un tamis au-dessus d'un bol. Un morceau de gingembre mesurant approximativement 10 cm de longueur donnera environ 2 cuillerées à soupe de gingembre râpé, qui donnera à son tour 2 cuillerées à café de jus.

1 l de dashi second (voir p. 117)

100 g de filets de porc, en tranches fines

8 haricots verts, coupés en tronçons de 2 cm

75 g de pâte de miso rouge (karakuchi)

2 c. c. de jus de gingembre frais

2 ciboules, finement émincées

Ajoutez le porc au bouillon.

1 Portez le dashi à ébullition dans une casserole moyenne. Ajoutez le porc et les haricots ; faites à nouveau bouillir. Baissez ; laissez mijoter 2 minutes sans couvrir.

2 Mettez le miso dans un petit bol. Ajoutez peu à peu 250 ml du dashi chaud en remuant jusqu'à ce que le miso soit dissous. Ajoutez le tout dans la casserole en remuant bien pour mélanger. Portez à ébullition, puis retirez aussitôt du feu.

3 Répartissez la soupe entre les bols de service ; ajoutez une demi-cuillerée à café de jus de gingembre dans chaque bol. Garnissez de ciboule.

L'ASTUCE DU CHEF

Évitez de trop faire cuire la soupe après l'ajout du miso. Sinon, la saveur délicate de ce mets se dissipera en partie.

Soupe aux légumes

Pour 4 personnes.

PRÉPARATION 10 MINUTES • CUISSON 15 MINUTES

Le daikon est un radis blanc géant allongé, au goût frais et doux et à la texture croquante. Au Japon, on le sert souvent en accompagnement, soit cru, soit mariné. Le shichimi togarashi – mot à mot « piment aux sept parfums » – est un mélange d'épices couramment utilisé dans la cuisine japonaise.

1 morceau de daikon de 3 cm x 5 cm (60 g)

1 petite pomme de terre (120 g)

1 petite carotte (70 g)

2 ciboules

60 g de haricots verts

2 c. c. d'huile végétale

1 l de dashi second (voir p. 117)

1 ¹/₂ c. s. de sauce de soja japonaise

2 champignons shiitake frais, coupés en quatre

120 g env. de pousses de bambou en boîte, rincées et égouttées

1 c. c. de poudre sept-épices (shichimi togarashi)

1 Coupez le daikon et la pomme de terre en quartiers, puis en tranches fines. Coupez la carotte en deux dans le sens de la longueur et tranchez-la finement. Coupez les ciboules en tronçons de 1 cm en diagonales. Coupez les haricots en tronçons de 2 cm en diagonale.

2 Faites chauffer l'huile dans une grande casserole ; faites cuire le daikon, la pomme de terre et la carotte en remuant jusqu'à ce qu'ils dorent légèrement.

3 Ajoutez le dashi et la sauce de soja. Portez à ébullition. Baissez et laissez mijoter 5 minutes environ sans couvrir, jusqu'à ce que la carotte soit juste tendre. Ajoutez les ciboules, les haricots, les champignons et les pousses de bambou. Laissez mijoter sans couvrir jusqu'à ce que les légumes soient juste tendres.

4 Répartissez la soupe entre les bols de service ; saupoudrez de poudre sept-épices.

L'astuce du chef

On peut remplacer le dashi par du bouillon de poule.

Suggestion de présentation Ajoutez 100 g de tofu ou 150 g de porc ou de poulet haché si vous souhaitez obtenir une soupe plus consistante.

Coupez le daikon en tranches fines.

Coupez les haricots en tronçons de 2 cm.

Consommé au tofu et aux algues wakame

Pour 4 personnes.

PRÉPARATION 15 MINUTES • CUISSON 10 MINUTES

Les algues wakame, riches en éléments nutritifs, sont noires lorsqu'on les achète sèches et vert vif une fois réhydratées. On ôte généralement la tige centrale pour obtenir de longues lanières.

> **5 g d'algues séchées (wakame)**
> **200 g de tofu ferme, coupé en 8 tranches**
> **1 l de dashi premier (voir p. 117)**
> **1 c. s. de saké**
> **2 c. c. de sauce de soja légère**
> **1 c. c. de zeste de citron, en fines lamelles**

1 Mettez les algues dans un petit bol et couvrez-les d'eau froide ; laissez-les reposer 10 minutes environ, jusqu'à ce qu'elles soient ramollies. Égouttez-les ; pressez-les pour éliminer l'excédent de liquide. Coupez-les grossièrement en ôtant les côtes dures.

2 Pendant ce temps, avec un emporte-pièce en forme de fleur de 3,5 cm de diamètre, coupez une fleur dans chaque tranche de tofu.

3 Répartissez les algues et le tofu entre les bols de service.

4 Portez le dashi à ébullition dans une casserole moyenne ; ajoutez le saké et la sauce de soja. Répartissez le consommé entre les bols. Garnissez de zeste de citron.

LES ASTUCES DU CHEF

Si vous ne possédez pas d'emporte-pièce en forme de fleur, coupez le tofu en dés de 1,5 cm de côté.

Utilisez un épluche-légumes pour obtenir de longues lanières de zeste de citron très fines.

Pressez les algues wakame pour éliminer l'excédent de liquide.

Coupez le tofu en forme de fleurs.

Soupe au bœuf et au riz

Pour 4 personnes.

PRÉPARATION 10 MINUTES • CUISSON 10 MINUTES

Coupez le bœuf en tranches très fines.

Employez de préférence du riz japonais. À défaut, prenez du riz blanc italien à grains ronds. Il est également possible de substituer des filets de poisson au bœuf et de remplacer le wasabi par de la poudre sept-épices (shichimi togarashi) ou du chili. Au Japon, on utilise quelquefois du thé vert à la place du dashi. Vous aurez besoin de 300 g de riz sec pour obtenir 600 g de riz cuit.

1,25 l de dashi premier (voir p. 117)

3 c. c. de sauce de soja légère

600 g de riz japonais cuit, chaud

150 g de filet de bœuf maigre, en tranches très fines

2 c. c. de graines de sésame blanches, grillées

2 ciboules, émincées finement

1 c. s. de wasabi

1 Portez le dashi et la sauce de soja à ébullition dans une casserole moyenne.

2 Répartissez le riz chaud entre les bols de service ; disposez le bœuf, les graines de sésame et la ciboule sur le riz. Versez des quantités égales de dashi chaud assaisonné dans les bols, en veillant à ne pas déplacer les éléments déjà disposés. Servez aussitôt, accompagné de wasabi dans des coupelles individuelles.

Disposez le bœuf, les graines de sésame et la ciboule sur le riz.

LES ASTUCES DU CHEF

En entreposant la viande, enveloppée dans du film étirable, 1 heure environ au congélateur, vous pourrez plus aisément la couper en tranches fines.

Le bœuf cuira dans le mélange de dashi chaud s'il est coupé en tranches très fines. Vous pouvez aussi le faire dorer sans le trancher dans une poêle moyenne antiadhésive pour donner davantage de saveur à la soupe.

Fendez le dessous des crevettes.

Insérez la queue des crevettes dans l'entaille.

Éliminez l'excédent de liquide des épinards cuits.

Faites des triangles de zestes de citron.

Consommé aux crevettes et aux épinards

Pour 4 personnes.

PRÉPARATION 20 MINUTES • CUISSON 15 MINUTES

4 crevettes moyennes crues (100 g)
50 g de feuilles de pousses d'épinards
4 lamelles de zeste de citron (de 1 cm x 4 cm)
1 l de dashi premier (voir p. 117)
2 c. c. de sauce de soja légère

1 Décortiquez les crevettes et ôtez la veine en laissant les queues intactes. Faites une fente en dessous et pressez-les pour les aplatir. Pratiquez une petite entaille au centre de chaque crevette et insérez la queue à l'intérieur.

2 Faites cuire les crevettes dans une petite casserole d'eau bouillante, sans couvrir, 1 minute environ, jusqu'à ce qu'elles changent de couleur. Égouttez-les sur du papier absorbant.

3 Faites cuire les épinards dans l'eau, à la vapeur ou au micro-ondes jusqu'à ce qu'ils soient juste flétris. Rincez-les sous l'eau froide. Égouttez-les en étalant uniformément les feuilles sur un makisu que vous roulez en serrant bien pour éliminer l'excédent de liquide.

4 En commençant aux extrémités opposées d'une bande rectangulaire de zeste de citron, pratiquez des fentes le long des côtés, sans aller jusqu'au bout. Tordez le zeste pour former un triangle ouvert. Répétez l'opération avec les autres lamelles de zeste de citron.

5 Portez le dashi à ébullition dans une casserole moyenne ; ajoutez la sauce de soja.

6 Répartissez les épinards et les crevettes, queues en haut, entre les bols de service. Ajoutez la soupe et garnissez avec les triangles de zeste de citron.

L'ASTUCE DU CHEF

La méthode utilisée pour faire des triangles de zeste de citron peut également être employée pour les citrons verts, les oranges, les concombres et les carottes.

Consommé au miso, au saumon et aux champignons shiitake

Pour 4 personnes.

PRÉPARATION 10 MINUTES • CUISSON 30 MINUTES

Passez le bouillon de saumon.

Ajoutez peu à peu le bouillon chaud au miso.

On obtient du jus de gingembre en pressant du jeune gingembre (vert) fraîchement râpé sur un tamis au-dessus d'un bol. Un morceau de gingembre d'environ 10 cm de long donnera 2 cuillerées à soupe de gingembre râpé. Avec cette quantité, vous obtiendrez 2 cuillerées à café de jus.

  1 kg d'arêtes et de têtes de saumon

  1 petit oignon (80 g), en quartiers

  1,25 l d'eau

  60 g de miso blanc (shiro miso)

  4 champignons shiitake, en tranches fines

  2 c. c. de jus de gingembre frais

  16 pousses de pois mange-tout, en tronçons de 4 cm

  80 g de daikon, en fines lanières

1 Mélangez les arêtes et les têtes de saumon dans une grande casserole avec l'oignon et l'eau. Portez à ébullition. Baissez et laissez mijoter, sans couvrir, 20 minutes. Écumez la surface du bouillon. Passez-le dans une passoire garnie de mousseline au-dessus d'un grand bol. Remettez le bouillon dans la même casserole après l'avoir lavée.

2 Mettez le miso dans un petit bol. Ajoutez progressivement 250 ml de bouillon chaud en remuant jusqu'à ce que le miso soit dissous. Transférez dans la casserole et remuez pour bien mélanger.

3 Ajoutez les champignons. Faites de nouveau mijoter. Ôtez du feu ; incorporez le jus de gingembre.

4 Répartissez la soupe entre les bols ; garnissez de pois mange-tout et de daikon.

LES ASTUCES DU CHEF

Pour un goût plus prononcé, faites mijoter le bouillon après l'avoir passé.

Vous pouvez utiliser du miso rouge, plus fort et plus salé. Pour cette recette, il n'en faudra que 2 cuillerées à soupe.

Suggestion de présentation Accompagnez ce consommé de lanières de tofu frit.

Le riz et les nouilles

Coupez les queues des champignons reconstitués.

Versez les œufs sur le mélange à base de poulet.

Ciselez finement la ciboulette.

Poulet et œufs sur lit de riz
Oyako donburi

Pour 4 personnes.

PRÉPARATION 10 MINUTES • CUISSON 10 MINUTES

Le terme « donburi » fait référence à un bol et au mélange à base de riz que l'on sert dans ce récipient. Au Japon, le donburi de poulet et d'œuf est appelé oyako donburi, ce qui signifie mot à mot « parent et enfant ». Utilisez de préférence du riz japonais ou, à défaut, du riz blanc italien à grains ronds. Vous aurez besoin de 300 g de riz sec pour obtenir 600 g de riz cuit.

4 champignons shiitake, séchés
125 ml de dashi second (voir p. 117)
60 ml de sauce de soja japonaise
2 c. s. de mirin
1 c. c. de sucre
100 g de blancs de poulet, en tranches fines
1 petit poireau (200 g), en tranches fines
6 œufs, légèrement battus
600 g de riz japonais cuit, chaud
2 c. s. de ciboulette, finement ciselée

1 Mettez les champignons dans un petit bol résistant à la chaleur ; couvrez-les d'eau bouillante et laissez reposer 20 minutes, jusqu'à ce qu'ils soient tendres. Égouttez-les. Jetez les queues et coupez les chapeaux en deux.

2 Pendant ce temps, portez à ébullition le dashi, la sauce, le mirin et le sucre dans une grande poêle.

3 Ajoutez le poulet, le poireau et les champignons ; faites cuire le tout à couvert, 3 minutes environ, jusqu'à ce que le poulet soit tendre.

4 Versez les œufs sur le mélange à base de poulet ; faites cuire à couvert, à petit feu, 2 minutes environ, jusqu'à ce que les œufs se figent.

5 Répartissez le riz entre les bols de service ; garnissez avec le mélange poulet-œuf, et saupoudrez de ciboulette.

L'ASTUCE DU CHEF

Les œufs doivent rester baveux par endroits. Ôtez-les du feu et maintenez-les couverts afin qu'ils cuisent un peu plus longtemps, si vous le souhaitez.

Suggestion de présentation Accompagnez ce plat de tempura de crevettes.

Nouilles udon en nabe

Pour 4 personnes.

PRÉPARATION 15 MINUTES • CUISSON 20 MINUTES

Coupez la carotte en tranches aussi fines que possible.

Disposez les légumes sur les nouilles avant d'ajouter le bouillon.

À l'aide d'une cuillère en bois, faites un petit nid dans les nouilles.

Glissez l'œuf dans le nid de nouilles.

Les udon sont des nouilles de blé blanches et plates. Elles sont à la base de ces plats individuels préparés dans des donabes, des marmites en terre. Si vous n'en possédez pas, faites cuire les udon dans une casserole et répartissez-les dans des bols individuels au moment de servir.

400 g d'udon épaisses, séchées

200 g de blancs de poulet, coupés grossièrement

2 c. c. de sauce de soja japonaise

2 c. c. de saké

250 g d'épinards, parés

625 ml de dashi second (voir p. 117)

2 c. s. de sauce de soja légère

1 c. s. de mirin

1 carotte moyenne (120 g), en tranches fines

4 champignons shiitake frais, en tranches fines

2 ciboules, coupées grossièrement

4 œufs

1/4 c. c. de poudre sept-épices (shichimi togarashi)

1 Faites cuire les nouilles dans une grande casserole d'eau bouillante, sans les couvrir, jusqu'à ce qu'elles soient tendres ; égouttez-les. Rincez-les sous l'eau froide. Égouttez-les de nouveau.

2 Mélangez le poulet, la sauce de soja japonaise et le saké dans un bol ; laissez reposer, sans couvrir, 10 minutes.

3 Faites cuire à la vapeur ou au micro-ondes les épinards jusqu'à ce qu'ils soient juste flétris. Rincez-les sous l'eau froide. Pressez-les pour éliminer l'excédent d'eau et coupez-les grossièrement.

4 Mélangez le dashi, la sauce de soja légère et le mirin dans une casserole moyenne. Portez à ébullition. Maintenez au chaud.

5 Mettez 125 ml de bouillon dans une petite casserole. Ajoutez la carotte ; faites cuire 2 minutes. Ajoutez le poulet ; faites cuire 2 minutes supplémentaires. Ajoutez les champignons et faites cuire encore 1 minute, jusqu'à ce que le poulet soit tendre.

6 Répartissez les nouilles entre 4 donabes. Disposez dessus la carotte, le poulet, les champignons, les épinards et la ciboule. Recouvrez de bouillon.

7 Couvrez les marmites. Portez à ébullition. Avec le dos d'une cuillère, faites un petit nid dans les nouilles ; cassez un œuf dans chaque nid. Couvrez à nouveau les donabes et ôtez-les du feu. Laissez reposer, à couvert jusqu'à ce que l'œuf se fige. Juste avant de servir, saupoudrez chaque marmite d'une pincée de poudre sept-épices.

L'ASTUCE DU CHEF

On trouve des nouilles udon d'épaisseurs différentes. Le temps de cuisson varie en conséquence. Certains supermarchés vendent des nouilles udon fraîches. Il est inutile de les réfrigérer ou de les faire cuire avant utilisation. Rincez-les simplement sous l'eau chaude avant de les ajouter dans la marmite.

Suggestion de présentation Accompagnez ce plat de croquettes de poisson en tranches fines ou de tempura de crevettes.

Coupez le bœuf en tranches fines.

À l'aide de baguettes, séparez les nouilles pendant la cuisson.

Coupez les nouilles cuites en tronçons de 10 cm.

Ajoutez la ciboule et les nouilles à la sauce au bœuf.

Bœuf au soja doux sur lit de riz

Pour 4 personnes.

PRÉPARATION 10 MINUTES • CUISSON 10 MINUTES

« Shirataki » se traduit par « cascade blanche », un terme qui décrit joliment ces fines nouilles transparentes vendues fraîches en sachets sous forme de pain (cho). Elles sont faites avec les tubercules de konnyaku, parfois appelées « langue du diable » ou « pied d'éléphant ». Vous aurez besoin de 400 g de riz sec pour obtenir 920 g de riz cuit. Le jus de gingembre est facultatif ; il vous faudra environ 2 cuillerées à soupe de gingembre frais râpé pour obtenir 2 cuillerées à café de jus de gingembre.

> **200 g de shirataki (nouilles de konnyaku), égouttées**
>
> **125 ml de sauce de soja japonaise**
>
> **1 c. s. de sucre**
>
> **60 ml de mirin ou de vin blanc doux**
>
> **300 g de filet de bœuf, en tranches très fines**
>
> **2 ciboules, tranchées en diagonale, en tronçons de 2 cm**
>
> **2 c. c. de jus de gingembre frais (voir p. 38)**
>
> **920 g de riz japonais cuit, chaud**

1 Mettez les nouilles dans une casserole moyenne remplie d'eau bouillante ; portez à ébullition. Laissez-les cuire 1 minute en les séparant à l'aide de baguettes. Égouttez-les et coupez-les en tronçons de 10 cm.

2 Portez la sauce de soja, le sucre et le mirin à ébullition dans une casserole moyenne. Ajoutez le bœuf ; faites cuire en remuant bien jusqu'à ce que la viande change de couleur. Égouttez le bœuf et remettez la sauce dans la casserole.

3 Ajoutez la ciboule et les nouilles et laissez mijoter 3 minutes environ, jusqu'à ce que la ciboule soit tendre. Remettez le bœuf ; ajoutez le jus de gingembre. Faites cuire jusqu'à ce que le mélange soit chaud.

4 Répartissez le riz entre les bols de service. Garnissez chaque bol de bœuf, de nouilles et d'environ 60 ml de sauce.

LES ASTUCES DU CHEF

Le bœuf sera plus facile à trancher si vous le mettez au préalable 1 heure au congélateur, enveloppé de film étirable.

Vous pouvez remplacer les shirataki par des nouilles de riz ou des harusame (vermicelles de soja).

Nouilles soba froides

Pour 4 personnes.

PRÉPARATION 5 MINUTES • CUISSON 15 MINUTES

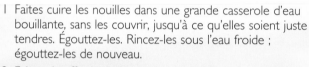

En été, les soba (nouilles de farine de sarrasin) sont servies froides dans des assiettes en rotin ou des paniers de bambou.

250 g de nouilles soba, séchées
180 ml de dashi premier (voir p. 117)
2 c. s. de sauce de soja japonaise
2 c. s. de mirin
¹/2 c. c. de sucre
2 ciboules, finement émincées
1 c. c. de wasabi
¹/2 feuille d'algue grillée (yaki-nori), en fines lanières

Versez la sauce dans des coupelles individuelles.

Plongez les nouilles dans de l'eau glacée.

1 Faites cuire les nouilles dans une grande casserole d'eau bouillante, sans les couvrir, jusqu'à ce qu'elles soient juste tendres. Égouttez-les. Rincez-les sous l'eau froide ; égouttez-les de nouveau.

2 Faites chauffer le dashi, la sauce, le mirin et le sucre dans une petite casserole en remuant jusqu'à ce que le sucre soit dissous. Laissez refroidir.

3 Répartissez cette sauce, la ciboule et le wasabi dans des coupelles individuelles.

4 Juste avant de servir, mettez les nouilles dans une passoire et plongez-les dans de l'eau glacée. Égouttez-les et répartissez-les entre les plats ou paniers de service ; garnissez-les de lanières d'algue grillée.

5 Agrémentez la sauce avec la ciboule et le wasabi selon vos goûts, puis trempez-y les nouilles avant de les déguster.

Nouilles soba frites

Pour 4 personnes.

PRÉPARATION 15 MINUTES • CUISSON 20 MINUTES

Coupez les oignons en tranches.

Coupez le chou en fines lanières avec un gros couteau bien aiguisé.

Bien que d'origine chinoise, ce plat est très apprécié au Japon. Les nouilles soba sont à base de farine de sarrasin et de blé. Elles constituent le premier repas de l'année pour un grand nombre de Japonais, qui les mangent à minuit le soir du 31 décembre pour s'assurer chance et santé au cours de l'année suivante. Les algues ao-nori sont une variété de varech comestible séché qui pousse sur les rochers dans les baies et à l'embouchure des fleuves. Elles sont vendues en copeaux.

250 g de nouilles soba, séchées

1 c. s. d'huile de sésame

2 c. s. d'huile végétale

300 g de porc haché

1 oignon moyen (150 g), coupé en 8 tranches

1 gousse d'ail, pilée

1 c. c. de gingembre frais, râpé

500 g de chou, en fines lanières

1 poivron moyen (200 g), en tranches fines

2 c. s. de gingembre rouge mariné (beni-shoga)

2 c. s. d'algues ao-nori séchées, en lanières
   ou copeaux

Sauce

1 c. s. de sucre

60 ml de mirin

2 c. s. de saké

60 ml de sauce de soja japonaise

1 Faites cuire les nouilles dans une grande casserole d'eau bouillante, sans les couvrir, jusqu'à ce qu'elles soient juste tendres. Égouttez-les.

2 Faites chauffer l'huile de sésame et 1 cuillerée d'huile végétale dans un wok ou une grande poêle ; faites sauter le porc à feu moyen jusqu'à ce qu'il soit légèrement doré. Ôtez-le du wok et couvrez-le pour le garder au chaud.

3 Dans le même wok, faites chauffer le reste de l'huile végétale ; faites sauter l'oignon, l'ail et le gingembre frais jusqu'à ce que l'oignon blondisse. Ajoutez le chou et le poivron ; faites-les cuire jusqu'à ce qu'ils soient tendres. Ajoutez le gingembre mariné, le porc, les nouilles et la sauce. Remuez pour bien mélanger le tout et réchauffez. Servez garni d'algues.

Sauce Faites chauffer tous les ingrédients mélangés dans une petite casserole en remuant bien jusqu'à ce que le sucre soit dissous.

Nouilles soba en bouillon

Pour 4 personnes.

PRÉPARATION 10 MINUTES • CUISSON 15 MINUTES

Tranchez le poireau finement
en diagonale.

Ajoutez le mirin au mélange
poulet-poireau.

*Cette soupe nourrissante et vite prête fut inventée
au début du XVIIe siècle. Elle a longtemps constitué
la nourriture de base des paysans. Le shichimi togarashi
est un mélange de sept-épices à base de piments forts.*

200 g de nouilles soba, séchées

750 ml de dashi premier (voir p. 117)

60 ml de sauce de soja japonaise

2 c. s. de mirin

1 c. c. de sucre

1 c. s. d'huile végétale

400 g de blancs de poulet, en tranches fines

2 poireaux moyens (700 g), en tranches fines

**1/4 c. c. de poudre sept-épices
    (shichimi togarashi)**

1 Faites cuire les nouilles dans une grande casserole
d'eau bouillante, sans les couvrir, jusqu'à ce qu'elles
soient juste tendres. Égouttez-les. Conservez-les
au chaud.

2 Mélangez le dashi, 2 cuillerées à soupe de sauce,
la moitié du mirin et la moitié du sucre dans une
casserole moyenne. Portez à ébullition. Ôtez du feu.
Couvrez le bouillon pour le garder au chaud.

3 Faites chauffer l'huile dans une poêle moyenne ;
faites cuire le poulet et le poireau en remuant
jusqu'à ce que le poulet soit juste cuit. Ajoutez
les restes de sauce de soja, de mirin et de sucre ;
portez à ébullition.

4 Répartissez les nouilles équitablement entre les bols
de service ; garnissez-les avec le mélange de poulet
et couvrez le tout de bouillon. Saupoudrez d'une
petite pincée de poudre sept-épices.

L'ASTUCE DU CHEF

Ajoutez 1 cuillerée à soupe de gingembre frais râpé
au bouillon pour lui donner plus de goût.

Tempura de nouilles udon

Pour 4 personnes.

PRÉPARATION 20 MINUTES • CUISSON 10 MINUTES

Pour plus d'informations sur la préparation et la cuisson de la tempura, reportez-vous aux astuces p. 97.

Faites une entaille sous les crevettes.

320 g de nouilles udon épaisses, séchées

1 l de dashi premier (voir p. 117)

125 ml de sauce de soja japonaise

125 ml de mirin

8 grosses crevettes crues (400 g)

huile végétale pour friture

farine blanche, pour enrober

1/4 c. c. de poudre sept-épices (shichimi togarashi)

2 ciboules, finement émincées

Incorporez l'eau de Seltz dans la pâte.

Pâte à tempura

75 g de farine blanche

75 g de Maïzena

1 c. c. de levure

250 ml d'eau de Seltz

1 Faites cuire les nouilles dans une grande casserole d'eau bouillante, sans les couvrir, jusqu'à ce qu'elles soient juste tendres ; égouttez-les.

2 Portez à ébullition le dashi, la sauce et le mirin dans une casserole moyenne ; baissez et laissez le bouillon mijoter 10 minutes.

3 Pendant ce temps, décortiquez les crevettes et ôtez la veine en laissant les queues intactes. Faites une entaille en-dessous pour les empêcher de rebiquer pendant la cuisson.

4 Faites chauffer l'huile dans une petite casserole. Plongez les crevettes, l'une après l'autre, dans la farine. Secouez-les pour éliminer l'excédent. Plongez-les ensuite dans la pâte à tempura. Faites-les frire jusqu'à ce qu'elles soient légèrement dorées. Égouttez-les sur du papier absorbant. Répétez l'opération jusqu'à ce que toutes les crevettes soient cuites.

5 Juste avant de servir, répartissez les nouilles dans les bols de service. Disposez dessus deux crevettes, puis versez une louche de bouillon et saupoudrez de poudre sept-épices. Garnissez de ciboule.

Pâte à tempura Mélangez les farines, la levure et l'eau de Seltz dans un bol moyen. Ne remuez pas trop. La pâte doit être grumeleuse.

Sortez les crevettes de l'huile bouillante.

Le tofu et les œufs

Tofu grillé au miso, aux épinards et aux graines de sésame

Pour 4 personnes.

REPOS 25 MINUTES • PRÉPARATION 10 MINUTES • CUISSON 10 MINUTES

Pressez le tofu entre deux planches à découper.

Faites tremper les lanières de zeste de citron dans de l'eau glacée pour qu'elles rebiquent.

On presse le tofu pour le faire dégorger avant de le faire frire à la poêle, dans de l'huile bouillante, ou de le réduire en purée. Faites des boucles de zeste de citron pour la décoration.

600 g de tofu ferme

150 g de miso blanc (shiro miso)

2 c. c. de sucre

2 c. s. de mirin

80 ml de dashi premier (voir p. 117)

2 c. s. de tahini

8 feuilles d'épinards

1 c. s. de zeste de citron, en fines lanières

1 Pressez le tofu entre deux planches de bois sous un poids. Soulevez d'un côté et laissez reposer 25 minutes.

2 Mélangez le miso, le sucre, le mirin et le dashi dans une petite casserole ; faites cuire le tout en remuant jusqu'à ce que le sucre soit dissous. Ajoutez le tahini.

3 Faites cuire les épinards à l'eau, à la vapeur ou au micro-ondes jusqu'à ce qu'ils soient juste flétris. Pressez-les pour éliminer l'excédent d'eau. Mixez-les avec la moitié du mélange à base de miso.

4 Coupez le tofu en tranches de 2 cm. Séchez-le avec du papier absorbant. Disposez-le sur un plat huilé allant au four et faites-le cuire sous le gril préchauffé 3 minutes environ, jusqu'à ce qu'il soit légèrement doré. Étalez le mélange miso-épinards sur la moitié des morceaux de tofu et garnissez de miso le reste du tofu. Faites cuire sous le gril chaud 2 minutes environ, jusqu'à ce que le miso soit légèrement doré. Garnissez de lamelles de zeste de citron avant de servir.

LES ASTUCES DU CHEF

On peut tremper les lamelles de zeste de citron dans de l'eau glacée pour qu'elles rebiquent.

Le miso est plus ou moins fort en goût. Ajoutez du sucre en conséquence.

Suggestion de présentation Si vous préférez couper le tofu en morceaux de la taille d'une bouchée, utilisez des fourchettes japonaises en bambou pour servir.

Œufs brouillés à la japonaise

Chawan-mushi

Pour 4 personnes.

PRÉPARATION 20 MINUTES • CUISSON 20 MINUTES

4 crevettes moyennes crues (100 g)
3 c. c. de sauce de soja japonaise
I c. c. de saké
75 g de blancs de poulet, en tranches fines
430 ml de dashi premier froid (voir p. 117)
I c. s. de saké, supplémentaire
4 œufs, légèrement battus
4 champignons shiitake frais, équeutés, coupés en quatre
1/2 carotte (35 g), coupée en deux, en tranches fines
8 feuilles d'épinards, blanchies, coupées grossièrement
I c. s. de zeste de citron, en fines lamelles

Ôtez la veine des crevettes décortiquées avec un cure-dents.

Passez le mélange d'œufs sur un tamis garni d'un tissu.

Versez le mélange d'œufs dans les tasses.

1 Décortiquez les crevettes et ôtez la veine en laissant les queues intactes. Pour enlever la veine, insérez un cure-dents en dessous, au milieu du dos, et tirez doucement. Mélangez I cuillerée à café de sauce et le saké dans un bol moyen ; ajoutez le poulet, remuez bien. Couvrez et laissez reposer 10 minutes.

2 Mélangez le dashi, le reste de la sauce de soja et le saké supplémentaire dans un bol moyen ; incorporez délicatement les œufs. Passez la mixture à travers un tamis fin ou garni de mousseline au-dessus d'un grand pot.

3 Répartissez le poulet, les crevettes et les légumes entre 4 tasses à thé ou à café d'une contenance d'environ 180 ml ; ajoutez le mélange d'œufs en laissant I cm en haut de chaque récipient. Couvrez les tasses de film étirable.

4 Mettez les tasses à l'intérieur d'un grand panier en bambou en laissant de l'espace entre elles afin que la vapeur puisse circuler. Posez le panier au-dessus d'un wok ou d'une grande casserole d'eau bouillante. Baissez le feu et laissez cuire à couvert 20 minutes environ, jusqu'à ce que les œufs se figent.

5 Ôtez le film étirable, puis mettez les tasses chaudes sur des soucoupes ou des petites assiettes. Garnissez avec des lamelles de zeste de citron.

LES ASTUCES DU CHEF

Vous pouvez utiliser des ramequins ou des petits bols à soufflé individuels à la place des tasses.

Pour faire blanchir les épinards, mettez-les dans un bol moyen résistant à la chaleur, recouvrez-les d'eau bouillante et laissez-les reposer I minute. Égouttez-les, puis pressez-les pour éliminer l'excédent de liquide.

Disposez les tasses dans un panier en bambou pour faire cuire à la vapeur.

Tofu frit
Age-dashi dofu

Pour 4 personnes.

REPOS 25 MINUTES • PRÉPARATION 15 MINUTES • CUISSON 15 MINUTES

Enrobez le tofu de farine de maïs.

Faites frire le tofu.

L'age-dashi dofu est le plat de tofu le plus classique. Il s'agit de tofu frit accompagné d'une sauce à base de dashi et de garnitures. Le tofu doit être pressé avant d'être frit à la poêle, dans de l'huile bouillante ou réduit en purée, afin d'éliminer l'excédent de liquide.

300 g de tofu ferme

2 c. s. de Maïzena

huile végétale, pour friture

180 ml de dashi premier (voir p. 117)

2 c. s. de sauce de soja japonaise

2 c. s. de mirin

2 c. s. de daikon, finement râpé

1 c. s. de gingembre frais, râpé

1 ciboule, finement émincée

2 c. c. de copeaux de bonite séchées et fumées (katsuobushi)

1 Pressez le tofu entre deux planches à découper sous un poids. Soulevez d'un côté. Laissez reposer 25 minutes.

2 Coupez le tofu en 8 morceaux de taille égale ; séchez-les entre deux feuilles de papier absorbant. Plongez-les dans la Maïzena, puis secouez-les pour éliminer l'excédent. Faites chauffer l'huile dans une casserole moyenne ou une poêle ; faites cuire le tofu, par petites quantités, jusqu'à ce qu'il soit légèrement doré. Égouttez-le sur du papier absorbant.

3 Mélangez le dashi avec la sauce et le mirin dans une petite casserole ; portez à ébullition.

4 Mettez deux morceaux de tofu dans chaque bol de service ; répartissez le daikon, le gingembre et la ciboule entre les bols, versez le dashi dessus. Garnissez avec les copeaux de bonite.

L'ASTUCE DU CHEF

Au lieu de servir le tofu avec ces accompagnements, assaisonnez la Maïzena avec des copeaux de piment ou des graines de sésame grillées.

Feuilleté d'œufs à la japonaise

Pour 4 personnes.

PRÉPARATION 5 MINUTES • CUISSON 10 MINUTES

Pliez l'omelette en trois.

Soulevez l'omelette cuite pour permettre au mélange d'œufs de s'étaler en dessous.

Enveloppez l'omelette dans une natte en bambou.

Pour décorer le centre de ce feuilleté, enveloppez la première omelette autour de bâtonnets de carotte cuite et de ciboule ou ajoutez une feuille de yaki-nori (algue grillée) entre chaque épaisseur. Vous aurez besoin d'un morceau de daikon de 3 cm de long et de 5 cm de diamètre en guise d'accompagnement.

8 œufs, légèrement battus

1 c. s. d'eau ou de dashi second (voir p. 117)

2 c. c. de sucre

3 c. c. de mirin

2 c. c. de sauce de soja légère

2 c. s. d'huile végétale

80 ml de sauce de soja japonaise

60 g de daikon finement râpé, bien égoutté

1 Mélangez les œufs, l'eau, le sucre, le mirin et la sauce de soja légère dans un grand bol. Remuez bien jusqu'à ce que le sucre soit dissous.

2 Graissez le fond d'une poêle carrée traditionnelle ou d'une poêle moyenne (environ 20 cm) avec un peu d'huile végétale, puis mettez-la à chauffer à petit feu, ou feu moyen.

3 Versez une partie des œufs battus pour napper la base de la poêle. Faites cuire en inclinant la poêle pour répartir le mélange uniformément. Quand les œufs sont presque cuits, glissez des baguettes ou une spatule sur le bord de la poêle pour détacher l'omelette.

4 À l'aide de baguettes, pliez l'omelette en trois vers vous, puis rabattez-la délicatement vers l'arrière de la poêle.

5 Huilez légèrement la poêle à nouveau et répétez l'opération en soulevant l'omelette déjà cuite afin que le mélange d'œufs glisse dessous. Quand la deuxième omelette est presque cuite, pliez-la en trois en incluant l'omelette déjà cuite et pliée. Continuez ainsi jusqu'à ce qu'il ne reste plus d'œufs.

6 Versez cette grosse omelette sur un makisu que vous enveloppez bien serré afin de former un rectangle compact. Laissez l'omelette refroidir. Ensuite, découpez-la en tranches de 1 cm. Servez avec de la sauce de soja japonaise et du daikon.

L'ASTUCE DU CHEF

On peut aussi utiliser ces tranches d'omelette pour confectionner des nigiri-zushi (petits pains sushi) ou comme garniture de sushi en les découpant en longues lanières fines.

Ajoutez le dashi et l'œuf mélangés aux ingrédients de la pâte à crêpe.

Coupez le chou en tranches fines.

Badigeonnez la crêpe de sauce Worcestershire.

Crêpe salée à la japonaise
Okonomi-yaki

Pour 4 personnes.

PRÉPARATION 10 MINUTES • REPOS 30 MINUTES • CUISSON 10 MINUTES

Okonomi signifie « votre choix ». Ces crêpes sont généralement préparées à la demande avec un choix de garnitures assez varié. La pâte ne doit pas reposer trop longtemps, sinon elle risque de coller. L'ao-nori est confectionné à partir d'algues qui poussent sur les rochers dans les baies ainsi qu'à l'embouchure des rivières. Ce produit est vendu séché en copeaux dont on saupoudre les plats pour décorer. Le beni-shoga est du gingembre mariné de couleur rouge foncé, finement tranché ou coupé en lanières. Quant à la bonite, il s'agit d'un poisson gras séché et réduit en copeaux, très employé dans la cuisine japonaise.

> **300 g de farine blanche**
> **1 ¹/₂ c. c. de levure**
> **375 ml de dashi second (voir p. 117)**
> **1 œuf, légèrement battu**
> **2 grandes feuilles de chou**
> **125 g de porc haché**
> **2 c. s. d'huile végétale**
> **125 ml de sauce Worcestershire japonaise**
> **2 c. s. de gingembre rouge mariné (beni-shoga)**
> **1 c. s. d'algues ao-nori, séchées, coupées en lanières**
> **3 g de copeaux de bonite séchée et fumée (katsuobushi)**

1 Tamisez la farine et la levure ensemble dans un bol moyen. Ajoutez peu à peu le dashi et l'œuf ensemble en mélangeant rapidement jusqu'à obtention d'une pâte lisse. Ne remuez pas trop. Couvrez et laissez reposer 30 minutes.

2 Ôtez les feuilles épaisses du chou et jetez-les ; coupez le reste en tranches fines. Ajoutez le chou et le porc à la pâte ; mélangez délicatement.

3 Faites chauffer un quart de l'huile dans une poêle moyenne, à feu doux. Versez un quart de la pâte et aplatissez bien avec une spatule. Quand des bulles commencent à se former, tournez la crêpe et badigeonnez le côté cuit avec de la sauce. Tournez-la de nouveau et badigeonnez l'autre face. Répétez rapidement l'opération une fois afin que la sauce caramélise sur la crêpe. Sortez-la de la poêle et couvrez-la pour la garder au chaud. Faites de même avec le reste d'huile et de pâte.

4 Servez les crêpes garnies de gingembre mariné, de lanières d'algues et de copeaux de bonite.

LES ASTUCES DU CHEF

La sauce Worcestershire japonaise a une saveur plus ou moins prononcée selon les marques. La plupart sont plus douces que la Worcestershire anglaise. Ajustez la quantité ajoutée selon vos goûts. On peut la remplacer par une sauce tonkatsu achetée toute prête ou faite maison (voir p. 76).

Vous trouverez des mélanges tout prêts pour okonimi en sachets dans les magasins asiatiques, soit natures, soit avec de la seiche.

Suggestion de présentation
Les Japonais apprécient beaucoup la seiche en morceaux dans ce plat.

Tofu frit au daikon et au gingembre

Pour 4 personnes.

REPOS 25 MINUTES • PRÉPARATION 10 MINUTES • CUISSON 10 MINUTES

Enrobez le tofu de graines de sésame.

Faites cuire le tofu dans l'huile végétale.

Vous aurez besoin d'un morceau de daikon d'environ 6 cm de long et de 5 cm de diamètre pour accompagner ce plat.

600 g de tofu ferme
50 g de farine blanche
2 œufs, légèrement battus
50 g de graines de sésame noires
50 g de graines de sésame blanches
huile végétale, pour friture
120 g de daikon finement râpé, bien égoutté
2 c. c. de gingembre frais, râpé

Sauce
80 ml de dashi premier (voir p. 117)
1 c. c. de mirin
1 c. s. de sauce de soja japonaise

1 Pressez le tofu entre deux planches en bois sous un poids. Soulevez d'un côté. Laissez reposer 25 minutes.

2 Coupez le tofu en dés de 2,5 cm. Plongez ces dés dans la farine en les secouant bien pour éliminer l'excédent. Plongez-les ensuite dans les œufs battus, puis dans les graines de sésame pour les enrober.

3 Faites chauffer l'huile dans une casserole moyenne ou une poêle ; faites cuire le tofu, par petites quantités, jusqu'à ce qu'il soit légèrement doré. Égouttez-le sur du papier absorbant ou une grille métallique. Servez avec la sauce chaude et le daikon garni de gingembre.

Sauce Faites chauffer les ingrédients mélangés dans une petite casserole.

LES ASTUCES DU CHEF

Vous pouvez ajouter des copeaux de bonite fumés et séchés aux graines de sésame si vous le souhaitez.

Enrobez le tofu de miettes de pain à la place du sésame, si vous préférez.

Viande, volaille et poisson

Porc pané à la japonaise
Tonkatsu

Pour 4 personnes.

PRÉPARATION 15 MINUTES • CUISSON 15 MINUTES

Le tonkatsu est une sauce barbecue riche et fruitée que l'on peut faire soi-même ou acheter toute prête. Disponible en miettes plus ou moins fines, la chapelure japonaise est légère et croustillante.

4 escalopes de porc (600 g)
35 g de farine blanche
2 œufs, légèrement battus
2 c. c. d'eau
100 g de chapelure japonaise
300 g de chou, en fines lanières
huile végétale, pour friture
1 citron, coupé en tranches
3 c. c. de moutarde japonaise

Sauce tonkatsu
2 c. s. de sauce Worcestershire japonaise
80 ml de sauce tomate
1 c. c. de sauce de soja japonaise
2 c. s. de saké
1 c. c. de moutarde japonaise

Plongez le porc dans la chapelure.

Faites frire le porc.

1 Aplatissez délicatement le porc avec un maillet à viande. Passez-le dans la farine et secouez l'excédent.

2 Plongez la viande dans les œufs battus mélangés à l'eau, puis enrobez-la de chapelure.

3 Faites tremper le chou 5 minutes dans de l'eau glacée pour qu'il soit croquant. Égouttez-le.

4 Faites chauffer assez d'huile pour recouvrir le porc dans une casserole ou une poêle moyenne. Ajoutez la viande et faites-la cuire 5 minutes, par petites quantités, en la retournant de temps en temps, jusqu'à ce qu'elle soit dorée des deux côtés. Écumez l'huile pendant la cuisson pour éliminer les miettes de pain.

5 Égouttez le porc sur du papier absorbant et coupez-le en diagonale en morceaux de 2 cm de largeur. Disposez le chou sur les assiettes de service et placez la viande dessus. Servez accompagné de tranches de citron, de moutarde et de sauce tonkatsu.

Sauce tonkatsu Mélangez les ingrédients dans une petite casserole et portez à ébullition. Remuez au fouet. Ôtez du feu et laissez refroidir.

Raviolis frits

Gyoza

Pour 50 raviolis.

RÉFRIGÉRATION 1 HEURE • PRÉPARATION 20 MINUTES • CUISSON 10 MINUTES

Plissez le côté humide de la pâte.

Pincez les deux côtés du ravioli ensemble.

Faites frire le ravioli dans une poêle.

Vous pouvez modifier la farce des raviolis en y incorporant par exemple des crevettes en petits morceaux, du fromage ou des œufs brouillés. Vous aurez besoin d'un quart de chou moyen pour cette recette.

300 g de porc haché

2 c. s. de sauce de soja japonaise

1/4 c. c. de poivre blanc

1 c. c. de sucre

1 c. s. de saké

1 œuf, légèrement battu

2 c. c. d'huile de sésame

325 g de chou, en fines lanières

4 ciboules, finement émincées

50 gyoza ou galettes de pâte à raviolis

1 c. s. d'huile végétale

1 Mélangez le porc, la sauce de soja, le poivre, le sucre, le saké, l'œuf, l'huile de sésame, le chou et la ciboule dans un plat moyen. Placez 1 heure au réfrigérateur.

2 Prenez une galette et mouillez le bord d'un côté. Déposez le contenu d'une cuillère à café bien tassée au milieu de la pâte et plissez le côte humide seulement. Pincez les deux côtés ensemble pour enfermer la farce. Répétez l'opération avec les autres gyoza et le reste du mélange à base de porc.

3 Remplissez d'eau le fond d'une poêle ; portez à ébullition. Ajoutez les raviolis, par petites quantités. Baissez et laissez mijoter à couvert, 3 minutes. Ôtez les raviolis du plan avec une spatule. Égouttez-les. Séchez la poêle.

4 Faites chauffer l'huile dans la même poêle ; faites cuire les raviolis, sans couvrir, par petites quantités, jusqu'à ce qu'ils soient dorés sur les deux faces.

Suggestion de présentation Servez avec de la sauce de soja relevée d'huile aux piments, du vinaigre de riz ou de la sauce ponzu (voir p. 88).

Porc sauté au chou et au gingembre

Pour 4 personnes.

PRÉPARATION 15 MINUTES • REPOS 10 MINUTES • CUISSON 10 MINUTES

On obtient du jus de gingembre en pressant du jeune gingembre (vert) frais dans un tamis au-dessus d'un bol. Un morceau de gingembre d'environ 15 cm de long donnera 3 cuillerées à café de jus.

Coupez le porc en lanières.

Ôtez les côtes des feuilles de chou.

1 c. c. de sucre

2 c. s. de saké

60 ml de sauce de soja japonaise

1 c. c. de gingembre frais, râpé

400 g d'escalopes de porc

8 feuilles de chou chinois

2 c. s. d'huile végétale

3 c. c. de jus de gingembre frais

1 Mélangez le sucre, le saké, la sauce et le gingembre râpé dans un bol moyen ; remuez jusqu'à ce que le sucre soit dissous.

2 Coupez le porc en tronçons de 5 cm, puis chaque morceau en fines lanières. Mettez la viande dans la marinade et laissez reposer 10 minutes. (Si vous le laissez macérer plus de 10 minutes, le porc deviendra dur.) Égouttez la viande au-dessus d'un petit bol. Réservez la marinade.

3 Pendant ce temps, ôtez les grosses côtes épaisses du chou et coupez les feuilles en carrés de 4 cm.

4 Faites chauffer l'huile dans une grande poêle ou un wok et faites sauter le porc 3 minutes. Ajoutez le chou, la marinade réservée et le jus de gingembre. Faites sauter jusqu'à ce que le tout soit bien chaud. Servez avec du riz à la vapeur.

Yakitori
Brochettes de poulet assaisonnées

Pour 4 personnes.

PRÉPARATION 20 MINUTES • CUISSON 15 MINUTES

Faites tremper les brochettes en bambou.

Garnissez les brochettes de morceaux de poulet et de légumes.

Badigeonnez les brochettes de sauce pendant la cuisson.

Vous pouvez utiliser des ailes de poulet, des foies de volaille ou les légumes de votre choix pour ce plat, mais veillez à couper des morceaux de taille uniforme et à associer des ingrédients mettant à peu près le même temps à cuire. Vous devrez faire tremper 8 brochettes en bambou pendant 1 heure dans de l'eau pour les empêcher de se fendre ou de brûler.

500 g de blancs de poulet ou de cuisses désossées, coupés en morceaux de 2,5 cm

1 poivron rouge moyen (200 g), coupé grossièrement

4 champignons shiitake frais, équeutés, coupés en deux

6 grosses ciboules, parées, coupées en tronçons de 2,5 cm

1/4 c. c. de poivre japonais (poudre sansho)

Sauce
125 ml de sauce de soja japonaise

125 ml de saké

60 ml de mirin

2 c. s. de sucre

1 Enfilez le poulet et les légumes sur 8 brochettes en bambou en laissant de l'espace entre les morceaux pour permettre une cuisson uniforme.

2 Faites cuire, par petites quantités, sur une grille huilée préchauffée (ou au barbecue), en retournant de temps en temps les brochettes et en les badigeonnant de sauce, jusqu'à ce qu'elles soient cuites et bien dorées.

3 Servez le yakitori garni de poivre japonais.

Sauce Mélangez les ingrédients dans une petite casserole et portez à ébullition. Baissez ; laissez mijoter, sans couvrir, à feu moyen jusqu'à ce que la sauce ait réduit d'un tiers. Laissez refroidir.

LES ASTUCES DU CHEF

On trouve de la sauce pour yakitori toute prête dans les magasins asiatiques.

On peut utiliser la sauce pour faire mariner le poulet avant de le cuire, mais dans ce cas, faites-le cuire à feu moyen pour empêcher à la marinade de brûler avant qu'il soit à point.

Vous pouvez remplacer le poivre japonais (poudre sansho) par de la poudre sept-épices (shichimi togarashi).

Teriyaki de saumon

Pour 4 personnes.

PRÉPARATION 10 MINUTES • REPOS 10 MINUTES • CUISSON 10 MINUTES

Détaillez le daikon en lanières avec une mandoline.

Retournez les morceaux de saumon pour les enduire de marinade sur toutes les faces.

Le daikon est un grand radis blanc à la saveur douce et fraîche. Au Japon, on le sert souvent, cru et râpé, en accompagnement.

4 filets de saumon (700 g), sans peau

120 g de daikon, en fines lanières

Marinade teriyaki

160 ml de sauce de soja japonaise

160 ml de mirin

2 c. s. de saké

1 c. s. de sucre

1 Faites mariner le saumon 10 minutes dans la sauce teriyaki, en le tournant de temps en temps. Égouttez-le au-dessus d'un bol moyen et réservez la marinade.

2 Faites tremper le daikon dans un petit bol d'eau glacée 15 minutes ; égouttez-le bien.

3 Faites cuire le saumon sur une grille huilée, préchauffée (ou au barbecue) en le badigeonnant de temps en temps de marinade jusqu'à ce qu'il soit cuit à votre convenance. Faites bouillir la marinade dans une petite casserole. Baissez et laissez mijoter 5 minutes jusqu'à ce qu'elle épaississe légèrement.

4 Servez le saumon avec le daikon, versez un peu de sauce dessus.

Marinade teriyaki Mélangez les ingrédients dans un petit bol ; remuez jusqu'à ce que le sucre soit dissous.

L'astuce du chef

Vous pouvez acheter de la sauce teriyaki toute prête, mais elle sera plus forte que celle faite maison. Diluez-la avec du mirin, du saké ou de l'eau.

Roulés de bœuf aux légumes

Pour 4 personnes.

PRÉPARATION 15 MINUTES • CUISSON 15 MINUTES

Coupez les carottes en lanières avec un épluche-légumes.

Faites blanchir les asperges dans de l'eau bouillante.

Attachez les roulés avec des cure-dents.

Ajoutez la sauce aux autres ingrédients dans la poêle.

Pour faire des roulés plus épais, utilisez deux ou trois tranches de viande en les faisant se chevaucher. Prenez du faux-filet, de l'entrecôte ou du rumsteck.

> **2 carottes moyennes (240 g)**
> **6 asperges, coupées en deux dans le sens de la longueur**
> **3 ciboules**
> **12 tranches fines de bœuf (300 g)**
> **2 c. s. de Maïzena**
> **1 c. s. d'huile végétale**
> **1 c. s. de sucre**
> **60 ml de mirin, ou de vin de riz doux**
> **2 c. s. de saké**
> **60 ml de sauce de soja japonaise**

1 À l'aide d'un épluche-légumes, découpez la carotte en fines lanières dans le sens de la longueur, puis recoupez ces lanières à la taille des tranches de bœuf. Mettez les asperges dans un bol résistant à la chaleur, recouvrez-les d'eau bouillante ; laissez-les reposer 2 minutes. Égouttez-les, rincez-les à l'eau froide, puis égouttez-les de nouveau. Coupez les asperges et la ciboule à la taille des tranches de bœuf.

2 Étalez les tranches de bœuf et saupoudrez-les de 1 cuillerée à soupe de Maïzena. Disposez deux morceaux de carotte et de ciboule et un morceau d'asperge du côté saupoudré de farine, puis roulez la tranche de viande. Attachez les roulés avec de la ficelle de cuisine ou des cure-dents. Saupoudrez-les du reste de la Maïzena.

3 Faites chauffer l'huile dans une poêle moyenne et faites cuire les roulés jusqu'à ce qu'ils soient légèrement dorés. Sortez-les de la poêle et essuyez-la avec du papier absorbant. Remettez-les dans la poêle. Ajoutez le mélange de sucre, de mirin, de saké et de sauce ; portez à ébullition. Baissez et faites mijoter en tournant de temps en temps jusqu'à ce que les roulés soient cuits à point. Si vous préférez une sauce plus épaisse, ôtez les roulés de la poêle et faites bouillir la sauce pour qu'elle réduise. Remettez les roulés dans la poêle et enrobez-les de sauce.

4 Sortez les roulés de la poêle et laissez-les refroidir 2 minutes. Enlevez les cure-dents et jetez-les. Coupez les roulés en deux. Disposez-les sur une assiette de service et servez-les accompagnés du reste de sauce.

LES ASTUCES DU CHEF

On trouve du bœuf en tranches très fines, vendu sous le nom de yakiniku ou sukiyaki, dans les magasins asiatiques.

Vous pouvez remplacer le bœuf par du filet de porc.

Bœuf grillé à la japonaise

Pour 4 personnes.

PRÉPARATION 15 MINUTES • CUISSON 8 MINUTES

Faites cuire le bœuf sur un gril.

Plongez le bœuf dans l'eau froide.

Coupez le bœuf en tranches fines.

Vous pouvez remplacer le filet de bœuf par du faux-filet, du rumsteck ou de l'entrecôte. Dans cette recette, la viande est crue au centre.

240 g de daikon, en fines lanières

400 g de filet de bœuf

2 c. c. d'huile végétale

1 petit concombre (130 g), coupé en deux dans le sens de la longueur

Sauce ponzu

60 ml de jus de citron

60 ml de sauce de soja japonaise

60 ml d'eau ou de dashi premier (voir p. 117)

2 ciboules, en tranches fines

1 Mettez le daikon dans un bol moyen, couvrez-le d'eau froide ; laissez reposer 15 minutes. Égouttez.

2 Badigeonnez le bœuf d'huile et faites-le griller sur un gril huilé, préchauffé (ou au barbecue) jusqu'à ce qu'il soit doré. Laissez-le refroidir ou plongez-le dans l'eau froide pour stopper la cuisson. Égouttez-le et séchez-le avec du papier absorbant.

3 Ôtez et jetez les graines du concombre ; découpez-le en tranches fines. Coupez le bœuf en tranches fines et disposez-le sur une assiette entre des mottes de daikon et de concombre. Servez accompagné de sauce ponzu.

Sauce ponzu Mélangez le jus de citron, la sauce de soja et l'eau dans un petit bol ; saupoudrez de ciboule.

Suggestion de présentation Servez accompagné de coupelles individuelles d'ail émincé finement, de gingembre frais râpé, de tranches de citron et de sauce de soja japonaise.

Fondues japonaises

Yosenabe
Nabe de la Bienvenue

Pour 4 personnes.

PRÉPARATION 20 MINUTES • CUISSON 10 MINUTES

Faites tremper les harusame séchées pour les reconstituer.

Ôtez les barbes des moules.

Utilisez une partie ou tous les ingrédients énumérés dans cette recette, selon vos goûts. Les harusame (vermicelles de soja) sont à base de haricots mung ou d'amidon de pommes de terre.

30 g de vermicelles de soja (harusame)

8 champignons shiitake frais

8 crevettes moyennes crues (200 g)

8 moules moyennes (200 g)

300 g de tofu ferme, pressé (voir p. 64)

200 g de blancs de poulet, en morceaux de 5 cm

200 g d'escalopes de porc, en tranches fines

200 g de filets de poisson blanc à chair ferme, coupés en morceaux de 5 cm

8 huîtres moyennes

8 noix de coquilles St-Jacques

2 carottes moyennes (240 g), coupées en tranches fines dans le sens de la longueur

2 poireaux moyens (700 g), en rondelles épaisses

4 feuilles de chou chinois, coupées grossièrement

1 l de dashi second (voir p. 117)

2 c. s. de sauce de soja japonaise

2 c. s. de mirin

2 c. s. de saké

4 ciboules, finement émincées

120 g de daikon finement râpé, bien égoutté

1 mesure de sauce ponzu (voir p. 88)

1 Mettez les nouilles dans un bol moyen résistant à la chaleur ; couvrez-les d'eau bouillante et laissez-les reposer jusqu'à ce qu'elles soient juste tendres. Égouttez-les.

2 Ôtez et jetez les queues des champignons. Dessinez une croix sur les chapeaux avec la pointe d'un couteau. Décortiquez et enlevez la veine des crevettes en laissant les queues intactes. Ôtez les barbes des moules en tirant fermement dessus. Coupez le tofu en dés de 2 cm.

3 Disposez la viande, le poisson, les fruits de mer, les légumes et le tofu sur un grand plat de service.

4 Portez à ébullition le dashi mélangé à la sauce de soja, au mirin et au saké dans un grand faitout résistant à la chaleur sur un réchaud ou dans une poêle électrique.

5 Plongez un choix d'ingrédients dans le bouillon et laissez mijoter jusqu'à ce qu'ils soient juste cuits. Répétez l'opération avec les autres ingrédients. Ajoutez du dashi ou de l'eau si nécessaire. Servez avec de la ciboule et du daikon assaisonné à la sauce ponzu.

LES ASTUCES DU CHEF

Une fois que les légumes et la viande ont été mangés, on peut servir le bouillon avec du riz ou des nouilles supplémentaires.

On peut remplacer les harusame (vermicelles de soja) par des shirataki (nouilles de konnyaku fraîches).

habu-shabu

ndue de viande et de légumes

r 4 personnes.

PARATION 20 MINUTES • CUISSON 10 MINUTES

shabu-shabu est une fondue de viande coupée en tranches très fines, que l'on plonge dans le illon chaud pour les saisir rapidement. Le bouillon est présenté dans une marmite traditionnelle erre (nabe) ou, à défaut, dans une cocotte en fonte déposée sur un réchaud placé au centre a table. Quand la viande et les légumes ont été mangés, on peut servir le bouillon avec nouilles ou du riz.

100 g de shirataki (nouilles de konnyaku), égouttées

2 champignons shiitake frais

00 g de filet de bœuf, en tranches fines

00 g de tofu ferme, pressé (voir p. 64), coupé en dés de 2 cm

poireaux, coupés en deux dans le sens de la longueur, lavés, tranchés en diagonale, en rondelles de 2 cm

feuilles de chou chinois, coupées grossièrement

00 g de pousses de bambou, en tranches fines

2 petits morceaux décoratifs de gluten de blé (fu)

mesure de sauce ponzu (voir p. 88)

20 g de momiji oroshi (voir ci-dessous) ou de daikon râpé fin, bien égoutté

ciboules, finement émincées

feuille de varech comestible (konbu), séchée de 10 cm de long, coupée en quatre

,5 l d'eau ou de dashi second (voir p. 117)

Momiji oroshi

morceau de daikon de 6 cm de long et 5 cm de diamètre (120 g), pelé

piments rouges séchés, forts

incez les nouilles sous l'eau chaude. Égouttez-les. Coupez-les en tronçons e 20 cm.

Ôtez et jetez les queues des champignons ; faites une croix sur les chapeaux. Disposez le bœuf, le tofu, les légumes et le fu sur un grand plat.

Répartissez la sauce ponzu, le radis en feuille d'érable et la ciboule entre les bols le service.

Pratiquez quelques entailles le long des bords de la feuille de konbu pour en dégager a saveur. Mettez-la dans un nabe ou un poêlon résistant à la chaleur d'une contenance e 2 litres et contenant 1,25 litre d'eau ou de dashi. Portez à ébullition. Ôtez la feuille 'algue juste avant l'ébullition ; baissez et laissez mijoter 4 minutes.

longez un choix d'ingrédients dans le bouillon. Dès qu'ils sont cuits, sortez-les et faites remper la viande et les légumes dans la sauce ponzu. Incorporez d'autres ingrédients et le este de l'eau ou du dashi, si nécessaire. Écumez la surface du bouillon de temps en temps.

miji oroshi À l'aide d'une baguette, faites 4 trous à l'extrémité du daikon. Ôtez les graines es piments et insérez-les dans chaque trou avec la baguette. Râpez le daikon et les piments n un geste circulaire en vous servant d'une râpe japonaise, ou très fine. Pressez pour éliminer excédent de liquide. Constituez des petites mottes que vous disposez sur les assiettes e service ou au centre de la sauce ponzu.

Faites des croix sur les chapeaux des champignons shiitake.

À l'aide d'une baguette, insérez les piments dans le daikon.

Entaillez les bords du konbu pour en dégager la saveur.

Ajoutez les ingrédients au bouillon.

Sukiyaki

Fondue de viande et de légumes de sauce de soja douce

Pour 4 personnes.

PRÉPARATION 20 MINUTES • CUISSON 10 MINUTES

Coupez le bœuf en tranches fines.

Graissez la marmite avec de la graisse de bœuf.

On peut acheter une marmite à sukiyaki traditionnelle dans les magasins japonais, mais une petite cocotte en fonte conviendra aussi très bien. Pour cette recette, vous pouvez utiliser du faux-filet, de l'entrecôte ou du filet à la place du rumsteck. On sert à chaque invité des petites quantités de sukiyaki. Chacun dispose d'un bol contenant un œuf légèrement battu. On trempe les ingrédients chauds dans l'œuf avant de les déguster. La chaleur cuit partiellement l'œuf.

**400 g de shirataki fraîches
(nouilles de konnyaku), égouttées**

8 champignons shiitake frais

600 g de rumsteck

4 ciboules, finement émincées

300 g d'épinards, parés, coupés grossièrement

125 g de pousses de bambou, en boîte, égouttées

**200 g de tofu ferme, pressé (voir p. 64),
coupé en dés de 2 cm**

4 œufs

Bouillon

250 ml de sauce de soja japonaise

125 ml de saké

125 ml de mirin

125 ml d'eau

110 g de sucre roux

1 Rincez les nouilles sous l'eau chaude, égouttez-les. Coupez-les en tronçons de 15 cm.

2 Ôtez et jetez les queues des champignons ; creusez une croix sur les chapeaux.

3 Dégraissez la viande ; découpez-la en tranches fines. Conservez un petit morceau de graisse de bœuf pour graisser la marmite. Disposez les ingrédients sur les assiettes ou dans les bols de service. Mettez le bouillon dans un bol moyen. Cassez les œufs dans des bols individuels ; battez-les légèrement.

4 Faites chauffer la marmite à sukiyaki graissée (ou la cocotte) sur un réchaud, à table ; ajoutez un quart du bœuf, faites-le sauter jusqu'à ce qu'il soit partiellement cuit. Ajoutez un quart des différents légumes, du tofu, des nouilles et du bouillon. Trempez les ingrédients cuits dans l'œuf avant de les manger.

Bouillon Mélangez tous les ingrédients dans une casserole moyenne ; faites cuire à feu moyen en remuant jusqu'à ce que le sucre soit dissous.

L'ASTUCE DU CHEF

On trouve du bœuf sukiyaki frais ou congelé dans les magasins asiatiques et certains supermarchés.

Tempura de légumes

Pour 4 personnes.

PRÉPARATION 20 MINUTES • CUISSON 20 MINUTES

Détaillez en plus petits morceaux les légumes qui cuisent plus lentement afin qu'ils soient prêts en même temps que les autres ingrédients. Utilisez toujours une huile fraîche et maintenez la température constante tout au long de la cuisson. La température optimale pour les légumes est assez élevée (170°) et légèrement plus encore pour les poissons et fruits de mer. On cuit donc ces derniers après les légumes.

1 oignon moyen (150 g)

1 petite racine de lotus fraîche ou congelée (200 g)

8 champignons shiitake, frais

2 feuilles d'algues grillées (yaki-nori)

20 g de vermicelles de soja (harusame), coupés en deux

huile végétale, pour friture

farine blanche, pour enrober les ingrédients

120 g de citrouille, en tranches fines

1 petite patate douce (250 g), en tranches fines

1 petite aubergine (60 g), en tranches fines

1 petit oignon rouge (150 g), sans grains, coupé en quartiers

1 carotte moyenne (120 g),

coupée finement en diagonale

250 g de tofu ferme, pressé (voir p. 64), coupé en dés de 2 cm

1 citron, en tranches

Pâte à tempura

1 œuf légèrement battu

500 ml d'eau de Seltz glacée

150 g de farine blanche

150 g de Maïzena

Sauce

250 ml de dashi premier (voir p. 117)

80 ml de mirin

80 ml de sauce de soja légère

120 g de daikon finement râpé, bien égoutté

3 c. c. de gingembre frais, râpé

1 Coupez l'oignon en deux à partir de la racine. Insérez des cure-dents à intervalles réguliers pour maintenir les couches du bulbe ensemble et tranchez entre deux (voir p. 99).

2 Pelez la racine de lotus et découpez-la en tranches. Mettez-la dans l'eau avec un soupçon de vinaigre pour l'empêcher de brunir. Si vous utilisez du lotus en boîte, égouttez-le et coupez-le en tranches. Ôtez et jetez les queues des champignons.

3 Coupez une feuille d'algue en carrés de 5 cm ; coupez l'autre feuille en deux et faites des lanières de 2 cm de large. Badigeonnez ces lanières, puis attachez-les autour d'une dizaine de nouilles. Réservez ces petits fagots de nouilles.

4 Faites chauffer l'huile (170°). Saupoudrez les ingrédients de farine, hormis les carrés d'algues. Secouez pour éliminer l'excédent. Plongez les carrés d'algues et les autres ingrédients dans la pâte ; égouttez-les bien. Faites frire ces ingrédients par petites quantités, jusqu'à ce qu'ils soient dorés. Égouttez-les sur du papier absorbant. Ne faites frire que de petites quantités à la fois et veillez à ce que l'huile soit à la bonne température avant de poursuivre.

5 Faites frire les fagots de nouilles ; servez-les en garniture.

6 Servez immédiatement avec des tranches de citron et la sauce chaude.

Pâte Mélangez l'œuf et l'eau glacée dans un bol. Ajoutez les farines tamisées en une seule fois et remuez légèrement jusqu'à ce que la pâte ait une consistance homogène.

Sauce Mélangez le dashi, le mirin et la sauce de soja dans une casserole moyenne et faites chauffer légèrement. Répartissez la sauce dans des bols individuels. Montez le daikon en quatre pyramides. Mettez-en une dans chaque bol et garnissez avec des quantités équivalentes de gingembre.

LES ASTUCES DU CHEF

Préparez la pâte juste avant de commencer la friture. Il ne faut en aucun cas trop la remuer. Elle doit être grumeleuse, et il faut qu'il reste une auréole de farine autour du bol. Utilisez toujours de l'eau glacée pour faire la pâte. Si vous désirez une pâte plus fine, ajoutez un peu d'eau. La pâte ne doit pas être conservée longtemps, sinon elle deviendrait trop lourde. Mieux vaut préparer la pâte en deux fois pour éviter ce problème.

Essuyez tous les ingrédients avec du papier absorbant avant de les enrober de farine. Saupoudrez-les légèrement pour que la pâte adhère mieux. Plongez-les dans la pâte et secouez-les doucement au-dessus du bol pour éliminer l'excédent. On ne farine jamais les morceaux d'algues ; contentez-vous de les plonger dans la pâte d'un seul côté pour qu'ils ne perdent pas leur saveur.

Pour les tempura, la sauce doit être servie chaude pour qu'elle ne refroidisse pas l'enrobage léger et délicat des ingrédients. On trouve de la sauce à tempura toute prête dans les magasins asiatiques. Elle est généralement concentrée ; il convient de la diluer dans un peu d'eau.

Pour vérifier que l'huile est à la bonne température, déposez-y une goutte de pâte. Si elle descend juste en-dessous de la surface, puis remonte, vous pouvez lancer la cuisson. Si elle tombe au fond et resurgit lentement, l'huile n'est pas assez chaude. Si la pâte glisse en surface, l'huile est trop chaude et la pâte dorera sans que les ingrédients aient le temps de cuire. Pour baisser rapidement la température, rajoutez un peu d'huile. Écumez régulièrement l'huile pendant la cuisson pour éliminer les restes de pâte.

Tempura de fruits de mer

Pour 4 personnes.

PRÉPARATION 20 MINUTES • CUISSON 20 MINUTES

Les yaki-nori sont des feuilles d'algues grillées utilisées plus fréquemment pour les sushi ou pour envelopper des bouchées de riz. Ici, elles servent simplement à lier des fagots de nouilles qui seront ensuite trempés dans la pâte à tempura.

12 crevettes crues moyennes (300 g)

2 encornets parés (180 g)

2 oignons moyens (300 g)

8 champignons shiitake frais, ou de gros champignons de couche

2 feuilles d'algues grillées (yaki-nori)

20 g de nouilles de blé séchées (somen), coupées en deux

huile végétale, pour friture

12 noix de Saint-Jacques

300 g de filets de poisson blanc, coupés fin, en dés de 3 cm

1 petit poivron rouge (150 g), égrené, coupé en carrés de 3 cm

farine

1 mesure de pâte (voir p. 96)

1 citron, coupé en tranches

1 mesure de sauce pour tremper (voir p. 96)

1 Décortiquez et ôtez la veine des crevettes en laissant les queues intactes. Faites trois petites entailles sous chaque crevette à mi-épaisseur pour les empêcher de rebiquer à la cuisson. Coupez une fine bordure au bout de chaque queue, et avec le dos d'un couteau, pressez doucement pour éliminer tout liquide qui risquerait de faire gicler l'huile pendant la cuisson.

2 Coupez les encornets en deux dans le sens de la longueur. Étalez-les bien à plat du côté lisse et brillant sur une planche à découper. En tenant un couteau à 45°, tranchez-les en diagonale à mi-épaisseur. Répétez l'opération dans le sens opposé, puis découpez l'encornet en lanières ou en grands carrés.

3 Coupez les oignons en deux à partir de la racine. Insérez un cure-dents à intervalles réguliers pour maintenir les couches du bulbe ensemble, puis tranchez entre les cure-dents. Jetez les queues des champignons ; entaillez les chapeaux en croix.

4 Coupez une feuille d'algue en carrés de 5 cm, puis l'autre feuille en deux avant de la détailler en lanières de 2 cm. Badigeonnez ces lanières d'eau et attachez-les autour d'une dizaine de nouilles, soit à une extrémité, soit au milieu. Réservez ces petits fagots de nouilles.

5 Faites chauffer l'huile à température moyenne (170°). Saupoudrez légèrement les fruits de mer et les légumes de farine. Secouez-les pour éliminer l'excédent. Plongez les carrés d'algues et les autres ingrédients dans la pâte ; égouttez-les. Faites frire le tout, par petites quantités, jusqu'à ce que les morceaux soient dorés. Égouttez-les sur du papier absorbant. Ne faites frire que de petites quantités à la fois

et veillez à ce que l'huile soit à la bonne température avant d'ajouter la suite.

6 Pour finir, faites frire les fagots de nouilles ; servez-les en garniture. Servez avec les tranches de citron et la sauce dans des coupelles individuelles.

L'ASTUCE DU CHEF

Pour un effet décoratif, attachez des lanières d'algues autour des queues des crevettes avant de les faire frire.

Faites des entailles sous les crevettes pour les empêcher de rebiquer.

Coupez l'extrémité des queues des crevettes et expulsez tout liquide.

Tranchez l'oignon après y avoir inséré des cure-dents pour maintenir les couches du bulbe ensemble.

Enveloppez les fagots de nouilles d'algues.

Ôtez la veine des crevettes à l'aide d'un cure-dents.

Incorporez les crevettes, le poulet et le bœuf dans la marinade.

Faites cuire tous les ingrédients sur un gril.

Barbecue à la japonaise
Teppanyaki

Pour 4 personnes.

PRÉPARATION 20 MINUTES • REPOS 15 MINUTES • CUISSON 20 MINUTES

Vous pouvez remplacer le filet de bœuf par de l'entrecôte ou du rumsteck. Le teppanyaki se prépare traditionnellement sur une plaque de métal, et le teppan sur la table ou à proximité, et se mange par petites quantités. Un gril électrique portable est idéal. Si vous ne disposez pas de gril électrique, utilisez un gril en fonte que vous faites chauffer à feu vif sur votre cuisinière.

4 grosses crevettes crues (200 g)

2 gousses d'ail, pilées

60 ml de sauce de soja japonaise

1 petit piment rouge, égrené, finement émincé

350 g de blancs de poulet avec la peau, coupés en morceaux de 5 cm

500 g de filet de bœuf, en tranches fines

4 champignons shiitake frais

1 oignon moyen (150 g), finement émincé

50 g de pois mange-tout, parés

1 poivron rouge moyen (200 g), égrené, coupé grossièrement

4 ciboules, finement émincées

Sauce
125 ml de sauce de soja japonaise

1 c. s. de mirin

1 c. s. de sucre brun

1 c. s. de gingembre frais, râpé

1/2 c. c. d'huile de sésame

1 Décortiquez et ôtez la veine des crevettes en laissant les queues intactes. Mélangez l'ail, la sauce et le piment dans un bol moyen, ajoutez les crevettes, le poulet et le bœuf en remuant bien le tout ; laissez reposer 15 minutes.

2 Ôtez et jetez les queues des champignons ; entaillez une croix sur les chapeaux.

3 Faites cuire les ingrédients (sauf la ciboule) par petites quantités sur le gril huilé préchauffé (ou au barbecue), jusqu'à ce que les légumes soient juste tendres, les crevettes et le bœuf cuits à point et le poulet doré.

4 Servez avec la ciboule et de la sauce dans des coupelles individuelles.

Sauce Mélangez les ingrédients dans une casserole moyenne ; faites cuire en remuant bien jusqu'à ce que le sucre soit dissous.

Légumes et salades

Haricots verts mijotés

Pour 4 personnes.

PRÉPARATION 5 MINUTES • CUISSON 5 MINUTES

Mélangez les ingrédients dans une casserole moyenne.

Disposez les haricots en pyramide.

La bonite est un poisson gras très utilisé dans la cuisine japonaise, séché et réduit en copeaux. Vous pouvez servir ces haricots verts avec de la moutarde japonaise et remplacer le saké par du vin blanc sec.

250 g de haricots verts, parés, coupés en tronçons de 5 cm

375 ml de dashi premier (voir p. 117)

2 c. s. de sauce de soja japonaise

2 c. s. de saké

2 c. c. de copeaux de bonite séchée et fumée (katsuobushi)

1 Mélangez les haricots, le dashi, la sauce de soja et le saké dans une casserole moyenne ; couvrez et portez à ébullition. Baissez, laissez mijoter jusqu'à ce que les haricots soient juste tendres. Égouttez-les au-dessus d'un petit bol. Réservez le liquide de cuisson.

2 Disposez les haricots en pyramide dans des bols individuels. Versez dessus un peu du liquide de cuisson réservé. Garnissez de copeaux de bonite et servez chaud, à température ambiante, ou glacé.

L'ASTUCE DU CHEF

Cette préparation se conservera deux ou trois jours au réfrigérateur.

Salade d'épinards à la sauce aux graines de sésame grillées

Pour 4 personnes.

PRÉPARATION 5 MINUTES • CUISSON 15 MINUTES

Faites griller les graines de sésame à sec dans une petite poêle.

Pressez les épinards dans une nappe en bambou pour éliminer l'excédent de liquide.

On peut remplacer les épinards par des haricots ou du cresson, et les graines de sésame par des cacahuètes ou des noix de cajou. Vous pouvez également garnir les épinards cuits de katsuobushi (copeaux de bonite fumés et séchés).

50 g de graines de sésame blanches
1 c. c. de sucre
1 ¹/₂ c. s. de sauce de soja japonaise
60 ml de dashi premier (voir p. 117)
600 g d'épinards, parés

1 Faites griller les graines de sésame à sec dans une petite poêle, en remuant constamment. Une fois qu'elles sont légèrement dorées et qu'elles commencent à sauter, retirez la poêle du feu. Réservez-en 1 cuillerée à café ; mixez ou pilez le reste jusqu'à obtention d'une pâte lisse. Mélangez cette pâte avec le sucre, la sauce de soja et le dashi dans un petit bocal à couvercle ; secouez bien jusqu'à ce que le sucre soit dissous.

2 Lavez bien les épinards. Portez de l'eau à ébullition dans une casserole moyenne et plongez-y les épinards 30 secondes ; égouttez-les aussitôt. Rincez-les sous un filet d'eau froide pour stopper la cuisson. Enveloppez les épinards dans un makisu, roulez-le fermement et pressez doucement pour éliminer l'excédent de liquide ; disposez les épinards sur un plat de service.

3 Juste avant de servir, versez la sauce sur les épinards. Servez-les à température ambiante et saupoudrez avec les graines de sésame réservées.

L'ASTUCE DU CHEF

Vous pouvez utiliser du tahini (pâte de sésame) au lieu de moudre des graines de sésame grillées.

Potiron à la sauce de soja douce

Pour 4 personnes.

PRÉPARATION 10 MINUTES • CUISSON 15 MINUTES

500 g de potiron, non pelé
375 ml de dashi second (voir p. 117)
1 ¹/₂ c. s. de sucre
2 c. s. de mirin
1 c. s. de sauce de soja japonaise

Entaillez la peau du potiron et retirez-la par endroits.

1 Coupez le potiron en morceaux de 5 cm en ôtant les graines. Coupez la peau par endroits pour donner à la surface une apparence tachetée et permettre à la saveur du bouillon de bien imprégner le légume.

2 Mettez le potiron côté peau dans une casserole moyenne ; ajoutez le dashi, le sucre et le mirin. Portez à ébullition ; baissez et laissez mijoter à couvert, 5 minutes en tournant les morceaux au bout de 2 minutes.

3 Ajoutez la sauce ; faites cuire 8 minutes supplémentaires, jusqu'à ce que le potiron soit juste cuit, en retournant les morceaux à mi-cuisson. Retirez la casserole du feu ; laissez le légume refroidir dans le liquide de cuisson quelques minutes avant de le répartir dans les bols de service. Servez chaud ou à température ambiante avec un peu de liquide.

Retournez les morceaux de potiron pendant la cuisson.

L'ASTUCE DU CHEF

Vous pouvez ajouter du porc ou du poulet haché et frit au potiron.

Salade aux cinq couleurs

Pour 4 personnes.

PRÉPARATION 20 MINUTES • REPOS 25 MINUTES • CUISSON 10 MINUTES

Faites tremper les champignons dans un bol résistant à la chaleur.

Utilisez un poids pour presser le tofu entre deux planches en bois.

Ajoutez le tahini au tofu réduit en purée.

6 champignons shiitake, séchés

1 morceau de daikon de 6 cm de long et 5 cm de diamètre (120 g), pelé et coupé en tranches fines dans le sens de la longueur

1 carotte moyenne (120 g), coupée en tranches fines dans le sens de la longueur

115 g de haricots verts, coupés en tronçons de 4 cm

8 abricots secs, en tranches fines

1 c. c. de zeste de citron en fines lanières

Vinaigrette

200 g de tofu ferme

2 c. s. de tahini

2 c. c. de sucre

2 c. c. de sauce de soja japonaise

1 c. s. de vinaigre de riz

1 c. s. de mirin

1 Mettez les champignons dans un petit bol résistant à la chaleur, couvrez-les d'eau bouillante et laissez-les reposer 20 minutes, jusqu'à ce qu'ils soient tendres. Égouttez-les. Ôtez et jetez les queues et découpez les chapeaux en tranches fines.

2 Faites cuire séparément le daikon, la carotte et les haricots à l'eau, à la vapeur ou au micro-ondes jusqu'à ce qu'ils soient juste tendres. Égouttez-les. Rincez-les sous l'eau froide pour les refroidir. Égouttez-les de nouveau.

3 Mélangez les abricots et les légumes dans un bol moyen en remuant délicatement.

4 Juste avant de servir, versez la vinaigrette sur la salade et mélangez bien. Répartissez la salade entre les bols de service, formez des monticules. Garnissez de lanières de zeste de citron.

Vinaigrette Pressez le tofu entre deux planches en bois sous un poids en l'inclinant d'un côté. Laissez reposer 25 minutes. Mixez le tofu jusqu'à obtention d'une pâte lisse ; mettez-le dans un petit bol. Ajoutez le tahini, puis le reste des ingrédients ; remuez jusqu'à ce que le sucre soit dissous.

L'ASTUCE DU CHEF

La salade et la vinaigrette peuvent être préparées à l'avance et conservées séparément au réfrigérateur. Mélangez-les juste avant de servir.

Salade de carotte et de daikon

Pour 4 personnes.

PRÉPARATION 20 MINUTES

Détaillez le daikon et la carotte en lanières avec une mandoline.

Cette salade rafraîchissante est idéale pour accompagner de la viande ou du poisson au barbecue. Le shiso appartient à la même famille que la menthe. Ses feuilles vertes donnent à ce plat une saveur particulière.

360 g de daikon, en fines lanières

2 carottes moyennes (240 g), coupées en deux, en fines lanières

4 feuilles de menthe japonaise (shiso)

1 c. s. de zeste de citron, en fines lanières

1 c. c. de graines de sésame noires

80 ml de vinaigre pour sushi (voir p. 12)

1 Mettez le daikon et la carotte dans deux bols moyens séparés ; recouvrez-les d'eau glacée. Laissez reposer 15 minutes. Égouttez bien.

2 Disposez les feuilles de menthe les unes sur les autres et roulez le tout ; coupez-les en fines lanières.

3 Mélangez le daikon, la carotte et la menthe dans un bol moyen. Parsemez de zeste de citron et de graines de sésame. Répartissez le vinaigre entre les coupelles individuelles. Servez la salade avec le vinaigre pour sushi.

Coupez les feuilles de menthe japonaise (shiso) roulées.

Salade de crevettes,
de concombre et d'algues wakame

Pour 4 personnes.

PRÉPARATION 20 MINUTES • REPOS 15 MINUTES • CUISSON 2 MINUTES

Ôtez les graines du concombre à l'aide d'une cuillère.

Séchez le concombre salé avec du papier absorbant.

Faites tremper les algues.

Les algues wakame sont très nourrissantes, de couleur foncée lorsqu'elles sont sèches et vert vif une fois réhydratées. On ôte généralement la nervure centrale des feuilles.

1 petit concombre (130 g)
1/2 c. c. de sel
4 crevettes cuites moyennes (100 g)
10 g d'algues wakame, séchées
1 morceau de gingembre frais de 2 cm (20 g), en tranches fines

Vinaigrette
60 ml de vinaigre de riz
1 1/2 c. s. de dashi premier (voir p. 117)
1 1/2 c. s. de sauce de soja japonaise
3 c. c. de sucre
1 1/2 c. s. de mirin

1 Coupez le concombre dans le sens de la longueur, ôtez les graines à l'aide d'une cuillère. Détaillez-le en tranches fines.

2 Mettez le concombre dans un petit bol ; saupoudrez-le de sel. Laissez reposer 15 minutes. Transférez-le dans une passoire ou un tamis, rincez-le sous l'eau froide. Égouttez-le. Séchez-le bien avec du papier absorbant. Décortiquez les crevettes ; ôtez la veine. Coupez-les dans le sens de la longueur. Mettez-les dans un bol moyen avec 1 cuillerée à soupe de sauce. Laissez reposer 10 minutes. Ajoutez le concombre.

3 Pendant ce temps, mettez les algues dans un petit bol. Recouvrez-les d'eau froide. Laissez reposer 5 minutes jusqu'à ce qu'elles ramollissent. Égouttez-les. Ajoutez les algues dans le bol, au mélange concombre-crevettes avec le gingembre et le reste de la sauce. Remuez délicatement. Répartissez entre les bols de service.

Vinaigrette Mélangez les ingrédients dans une petite casserole. Portez à ébullition. Baissez ; laissez mijoter en remuant jusqu'à ce que le sucre soit dissous. Ôtez du feu et laissez refroidir.

L'ASTUCE DU CHEF

Vous pouvez remplacer les crevettes par du crabe cuit émietté.

Salade de crabe et de nouilles au gingembre

Pour 4 personnes.

PRÉPARATION 15 MINUTES • CUISSON 10 MINUTES

Coupez les nouilles avec des ciseaux.

Mélangez bien les ingrédients.

Faites griller les graines de sésame à sec dans une petite poêle préchauffée en remuant constamment. Dès qu'elles sont légèrement dorées, retirez la poêle du feu. Les soba sont des nouilles de sarrasin.

- **250 g de soba, séchées**
- **100 g de crabe cuit, émietté**
- **50 g de germes de mange-tout, parés**
- **40 g de germes de soja**
- **6 ciboules, finement émincées**
- **1 c. s. de graines de sésame blanches, grillées**
- **2 c. c. de graines de sésame blanches grillées, supplémentaires**
- **1 ciboule, finement émincée, supplémentaire**
- **1 c. s. de gingembre rouge mariné (beni-shoga), en fines lanières**

Vinaigrette

- **80 ml d'huile végétale**
- **80 ml de vinaigre de riz**
- **2 c. c. de sauce de soja japonaise**
- **1 c. c. de sucre**
- **1/2 c. c. d'huile de sésame**

1. Faites cuire les nouilles dans une grande casserole d'eau bouillante sans les couvrir, jusqu'à ce qu'elles soient juste tendres. Égouttez-les. Rincez-les sous un filet d'eau froide pour les refroidir. Égouttez-les à nouveau. Coupez les nouilles avec des ciseaux pour qu'elles soient plus faciles à manger.

2. Mélangez les nouilles, le crabe, les germes de soja et de mange-tout, la ciboule et 1 c. s. de graines de sésame avec la vinaigrette dans un grand bol. Remuez bien le tout. Saupoudrez avec le reste des graines de sésame. Servez la ciboule supplémentaire et le gingembre rouge dans des coupelles individuelles.

Vinaigrette Mélangez tous les ingrédients dans un bocal à couvercle ; secouez bien jusqu'à ce que le sucre soit dissous.

LES ASTUCES DU CHEF

Vous pouvez remplacer le crabe par du poulet coupé en lanières, des tranches de bœuf ou de tofu pressé.

On peut utiliser des harusame (pâtes de kanyaku) ou des somen (nouilles de blé) à la place des soba.

Suggestions de menu

■ Servez les consommés et les soupes dans des bols, si possible munis d'un couvercle pour conserver leur arôme et leur saveur. Dans le cas des repas traditionnels, la soupe au miso est généralement servie à la fin, avec le riz et les condiments, mais si vous êtes entre vous, servez-la en entrée.

■ Tous les plats peuvent être servis en même temps, chacun prenant des bouchées ici et là selon ses goûts. Il est aussi possible de les faire se succéder comme nous le faisons d'ordinaire.

■ Pour le dessert, on mange le plus souvent des fruits frais, découpés de manière décorative. Vous pouvez aussi servir un sorbet ou une glace, au thé vert par exemple.

■ On sert généralement du thé vert tout au long du repas.

DÉJEUNER LÉGER

Soupe de miso au porc et aux haricots verts (p. 38)

Soba frits (p. 58)

Fruits de saison

DÉJEUNER ENTRE AMIS

Tofu frit en bouillon (p. 68)

Épinards à la sauce aux graines de sésame grillées (p. 104)

Teriyaki de saumon (p. 84)

Riz à la vapeur

Fruits de saison

DÎNER « SELF-SERVICE »

Les convives se servent et participent même à la préparation du repas.

Sushi en cônes (p. 22)

Shabu-shabu (p. 92)

Salade de daikon et de carottes (p. 110)

Plateau de fruits ou sorbet individuel

DÎNER EN FAMILLE

Il s'agit d'un repas simple, traditionnel, servi dans de nombreux restaurants japonais.

Soupe de miso au saumon et aux champignons shiitake (p. 48)

Porc pané à la japonaise (p. 76)

Riz à la vapeur

Condiments, y compris du daikon mariné, coupé en quatre et tranché finement, servis dans des coupelles individuelles.

Fruits de saison

DÎNER TEMPURA CLASSIQUE

La tempura convient mieux à un nombre de convives restreint puisque l'on mange dès que c'est cuit.

Sashimi (p. 30)

Tofu grillé au miso, aux épinards et aux graines de sésame (p. 64)

Tempura de légumes et de fruits de mer (p. 96 et 98). Comptez 8 à 10 morceaux par personne.

Salade de daikon et de carottes (p. 110)

Riz à la vapeur

Sorbet ou glace

Comment faire soi-même du dashi ?

Le dashi est le fond de bouillon à la base de presque tous les plats japonais, en petites quantités dans les sauces, en grandes quantités dans les célèbres nabes et fondues, telles que le shabu-shabu (à la viande et aux légumes) ou le sukiyaki. Il peut être végétarien, si vous le faites simplement avec du konbu (varech séché) additionné d'eau ou de poisson, ou de copeaux de bonite fumée et séchée (katsuobushi). La variété la plus courante allie algues et bonite.

Parmi les variantes, les deux recettes les plus souvent utilisées sont le dashi premier (ichiban-dashi) pour les consommés et les sauces d'accompagnement, et le dashi second (niban-dashi) pour les soupes, de miso par exemple, les fondues et la cuisine en général.

On peut acheter du dashi tout prêt sous forme de liquide concentré ou de granulés. Il suffit d'ajouter de l'eau en ajustant la quantité selon vos goûts et le type du plat que vous souhaitez préparer. S'il vous reste du dashi, vous pouvez le conserver au réfrigérateur jusqu'à trois jours dans un récipient hermétique ou le congeler jusqu'à un mois, mais sachez qu'il perdra une partie de sa saveur délicate et de son arôme. Prenez soin de mesurer les quantités que vous congelez – 250 ml par exemple, ou utilisez un bac à glaçons. Incorporez un reste de riz dans du dashi ainsi conservé pour préparer rapidement une soupe.

DASHI PREMIER (ICHIBAN-DASHI)

Ce bouillon léger, subtilement aromatisé aux algues sèches (konbu) et aux copeaux de bonite séchée et fumée (katsuobushi) s'emploie pour les consommés et certaines sauces d'accompagnement. Notez qu'il ne faut pas jeter les ingrédients solides employés si vous avez l'intention de faire du bouillon second (niban-dashi).

15 g de varech séché (konbu)
1 l d'eau froide
15 g de gros copeaux de bonite séchée et fumée

1   Essuyez l'algue avec un torchon humidifié ; coupez la feuille en 3 ou 4 gros morceaux. Mettez l'algue avec l'eau dans une grande casserole ; faites cuire, sans couvrir, 10 minutes environ, presque jusqu'à ébullition.

2   Ôtez l'algue avant de porter l'eau à ébullition.

3   Juste au moment de l'ébullition, ajoutez 60 ml d'eau froide et les copeaux de bonite. Faites chauffer à nouveau jusqu'à ébullition et ôtez aussitôt du feu.

4   Laissez les copeaux de bonite se déposer au fond de la casserole, puis passez le dashi dans un tamis garni de mousseline au-dessus d'une autre casserole. Réservez les copeaux de bonite et l'algue pour préparer du dashi second.

DASHI SECOND (NIBAN-DASHI)

Cette version plus consistante du bouillon japonais se compose du konbu (algue séchée) et des copeaux de bonite séchée et fumée (katsuobushi) utilisés pour le dashi premier (ichiban-dashi) que l'on fait mijoter. Il s'emploie pour les soupes, de miso par exemple, les bouillons assaisonnés et les plats mijotés à la saveur plus prononcée.

copeaux de bonite séchée et fumée (katsuobushi) et algues séchées (konbu), réservés du premier dashi
1,5 l d'eau froide
10 g de copeaux de bonite séchée et fumée (katsuobushi), supplémentaires

1   Mettez les copeaux de bonite et les algues réservés dans une grande casserole d'eau froide ; faites cuire sans couvrir, 10 minutes environ presque jusqu'au point d'ébullition. Baissez et laissez mijoter sans couvrir 15 minutes environ, jusqu'à ce que le bouillon réduise de moitié.

2   Ajoutez les copeaux de bonite supplémentaires ; ôtez la casserole du feu. Laissez les copeaux de bonite se déposer au fond de la casserole, puis passez le dashi dans un tamis garni de mousseline au-dessus d'une autre grande casserole.

DASHI INSTANTANÉ

Pour un bouillon léger (l'équivalent du dashi premier), mettez 1 1/2 cuillerée à café de granulés de dashi (dashi-no-moto) dans 1 litre d'eau chaude en remuant bien jusqu'à ce qu'ils soient dissous. Pour obtenir un dashi plus dense (l'équivalent du dashi second), mettez environ 2 cuillerées à café de granulés de dashi instantané dans 1 litre d'eau chaude en remuant bien jusqu'à ce qu'ils soient dissous.

Index

marabout**chef**

réussite garantie • recettes testées 3 fois

Vous avez choisi "Sushis et compagnie", découvrez également :

Et aussi :

ENTRES AMIS
Apéros

RAPIDES
Recettes au micro-ondes
Recettes de filles
Salades pour changer

CUISINE DU MONDE
Recettes chinoises
A l'italienne
Cuisiner grec

CLASSIQUES
Pain maison
Grandes salades
Recettes de famille
Special pommes de terre
Pasta
Tartes, tourtes et Cie

PRATIQUE
Recettes pour bébé
Cuisiner pour les petits

SANTÉ
Desserts tout légers
Recettes Detox
Recettes rapides et légères
Recettes pour diabétiques
Recettes anti-cholestérol
Recettes minceur
Recettes bien-être
Recettes végétariennes

GOURMANDISES
Les meilleurs desserts
Tout chocolat...

Traduction et adaptation de l'anglais par : Alain Dereault et Élisabeth Boyer
Packaging : Domino / Relecture : Aliénor Lauer

Marabout - 43, quai de Grenelle – 75905 Paris CEDEX 15

Publié pour la première fois en Australie
en 1990 sous le titre : "Healthy heart cookbook"
© 1990 ACP Publishing Pty Limited.
Photos de 2e et 3e de couverture et page 1 : © Frédéric Lucano, stylisme : Sonia Lucano
© 2001 Marabout pour la traduction et l'adaptation.